校园健康与医学急救知识

主　编　张利远　陈建荣
主　审　仲崇俊

镇　江

图书在版编目(CIP)数据

校园健康与医学急救知识/张利远,陈建荣主编.
—镇江:江苏大学出版社,2016.4(2023.6重印)
ISBN 978-7-5684-0111-1

Ⅰ.①校… Ⅱ.①张…②陈… Ⅲ.①保健—基本知识②急救—基本知识 Ⅳ.①R161②R459.7

中国版本图书馆CIP数据核字(2015)第314704号

校园健康与医学急救知识

主　　编/张利远　陈建荣
责任编辑/汪再非
出版发行/江苏大学出版社
地　　址/江苏省镇江市京口区学府路301号(邮编:212013)
电　　话/0511-84446464(传真)
网　　址/http://press.ujs.edu.cn
排　　版/镇江文苑制版印刷有限责任公司
印　　刷/广东虎彩云印刷有限公司
开　　本/890 mm×1 240 mm　1/32
印　　张/5.5
字　　数/140千字
版　　次/2016年4月第1版
印　　次/2023年6月第10次印刷
书　　号/ISBN 978-7-5684-0111-1
定　　价/25.00元

如有印装质量问题请与本社营销部联系(电话:0511-84440882)

前　言

作为长期工作在急诊一线的急救医务工作者，我们每天都在为各种需要紧急救治的患者争取宝贵的"生死一刻钟"，然而依旧有许多生命在逝去，这不断给人们以教训和警示：在高度文明的社会生活中，时刻都可能存在对生命健康的威胁，而对于自身的健康和急救知识，人们又知道多少？现实在不时提示每个医务工作者的责任。为此，急救医生忠告民众：了解和学习健康与医学急救知识刻不容缓！学习和普及医学急救知识，对于每个人都很有必要。无论是学生还是从业者，无论文化水平是高还是低，无论社会地位有多大差异，人们在生活中总会遇到很多意外情况：身体突发状况、交通意外事故、紧急环境灾害……甚至在饭店或超市消费时，都可能有各种紧急情况发生，在如何保证生命安全的问题上每个人都是一样的。因此，了解和掌握基本医学急救知识和技能，不仅仅是医务工作者的职责，也是普通人应具备的基本素质。

为达到普及急救知识的目的，我们针对校园人群编写本书。校园教育有独特的影响力，并且具有持续的教育效果。每个学生和老师关联到无数的家庭，通过校园师生医学急救知识的普及宣传，会唤起更多的人重视健康与认识疾病，进而去了解和关注医学急救，使更多的人掌握一些在危急时刻挽救生命的技能，帮助人们在危急情况下进行自救与互救，为医院更进一步的抢救赢得时间。

本书分为上、下两篇，上篇介绍人体系统与疾病，下篇介绍常见危急病症急救知识与技能。书中含有一些必要的较专业的急救知识内容,为的是供普通读者能够对医院急救有基本了解,以便在出现紧急状况时能够使自救互救与专业急救对接。

本书编写者虽具有厚实的医学理论基础和诊断知识与抢救实践经验,但由于文字经验和能力的限制,编写中难免有不足,敬请各位读者批评指正。

2015 年 10 月

目　　录

上篇　人体与疾病

下篇　急救知识与技能

上篇

人体与疾病

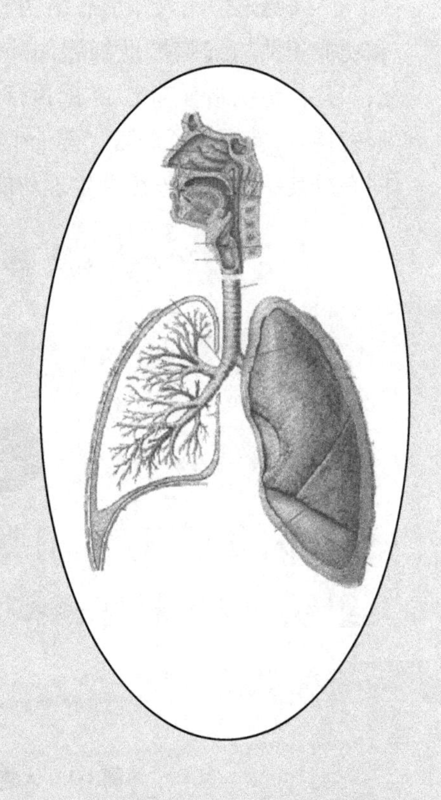

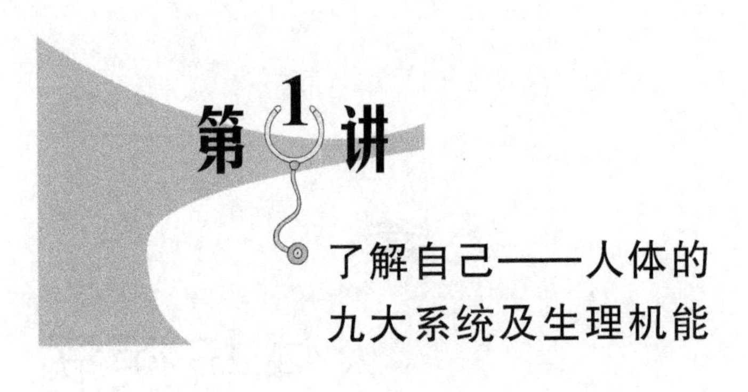

第1讲 了解自己——人体的九大系统及生理机能

人体的结构层次为细胞—组织—器官—系统—个体（见图1-1）。**细胞**是构成人体形态结构和功能的基本单位。形态相似和功能相关的细胞借助细胞间质结合起来构成的结构称为**组织**。几种组织结合起来，共同执行某一种特定功能，并具有一定形态特点，就构成了**器官**。若干个功能相关的器官联合起来，共同完成某一特定的连续性生理功能，即形成**系统**。

人体是什么构成的？

原子 → 分子 → 生物大分子 → 细胞 → 组织 → 器官 → 系统

图1-1　人体的构成

原子水平看人体 目前已知的元素有130余种,其中人体内含有的元素有60多种,主要为氧、氢、碳、氮、钙及磷等,其中氧含量约为65%,碳约为18%,氢约为10%,氮约为3%,钙约为2%,磷约为1%。氧、氢、碳、氮就占人体总重量的96%。其他元素虽然在人体内所占的比例很小,但并不代表它们不重要,如血红蛋白是体内氧的携带者,而铁则是血红蛋白的重要组成部分。

分子水平看人体 人体是由蛋白质、脂类、碳水化合物、水及矿物质等组成的。以一名体重60 kg的男性为例,其体内的水约为40 kg,占体重的67%;脂类约为9 kg,占体重的15%,其中约有1 kg为生命活动所必需,其余为能量储备,可以根据人体的活动状况而改变;蛋白质约为11 kg,占体重的18%,大部分蛋白质在人体内作为基本构成成分而存在,损失超过约2 kg就会导致严重的生理功能失调。碳水化合物在体内主要是以糖原的形式存在,可以用于消耗的储备不超过200 g。

细胞水平看人体 人体是由细胞、细胞外液及细胞外固体组成的。细胞是身体行使功能的主要组成部分。按细胞所在的组织通常将其分为肌肉细胞、脂肪细胞、上皮细胞、神经细胞等类型。

组织水平看人体 人体是由组织、器官及系统构成的,这样体重就等于脂肪组织、骨骼肌、骨、血及内脏器官等的总和。脂肪组织包括脂肪细胞、血管及支撑性结构成分,是储存脂肪的主要地方。骨骼肌有400多块,占体重比例因性别、年龄不同而有差异。成年男性约占40%,成年女性约占35%,四肢肌肉约占全身肌肉重量的80%,其中下肢约50%,上肢约30%。正常人的总血量占体重的8%左右。一个体重50 kg的人,约有血液4 000 mL,而真正参与循环的血量只占全身血液的70%~80%,其余的储存在肝、脾等"人体血库"内,当人体出现少量失血时,储存在"人体血库"中的血液便会立即释放出来,随时予以补充。骨骼是人体的支架系统,成年人有206块骨头,重量大约有9 kg。

系统水平看人体　人体有九大系统，见图1-2。

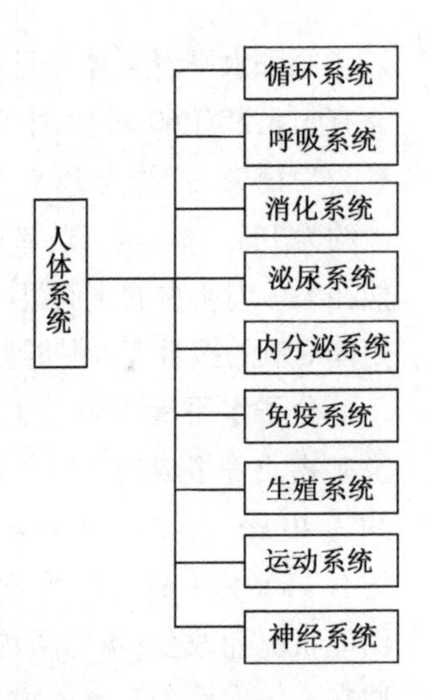

图1-2　人体九大系统

一、循环系统

循环系统由生物体的细胞外液（包括血浆、淋巴和组织液）及其借以循环流动的管道组成。

动物形成心脏以后，循环系统分为心脏和血管两大部分，叫作心血管系统。循环系统是生物体内的运输系统，它将消化道吸收的营养物质和由肺吸进的氧输送到各组织器官，并将各组织器官的代谢产物通过同样的途径输入血液，经肺、肾等器官排出。它还输送热量到身体各部以保持体温，输送激素到靶器官以调节其功能。

血液循环受神经体液因素的调节，这些因素在中枢神经高级部位的整合下能使心血管系统保持适当的血压和血流，这是确保各组织器官物质交换、维持正常功能活动的先决条件。血液只有在全身不停地循环流动才能完成多种机能，血液循环的停止是死亡的前兆，具有最重要的生理意义。到达各器官的各有自身特点的血液循环叫作特殊区域循环或器官循环。这种循环在高等动物中以脑循环和冠脉循环最为重要，因为二者的任何短时阻断都将导致严重的后果乃至死亡。冠脉循环阻断后几乎立即使心搏停止，脑循环阻断后脑细胞在4～6分钟后死亡。

1．循环系统的构成

循环系统是由一系列复杂的管道连合而成，由于其中所含的液体成分不同，可分为心血管系统和淋巴系统两部分（见图

1-3)。心血管系统由心脏、动脉、静脉和毛细血管组成。在心血管系统的管道内,缓缓流动着血液(见图1-4)。淋巴系统由淋巴管道、淋巴器官和淋巴组织组成,在淋巴管道内,流动着淋巴液。

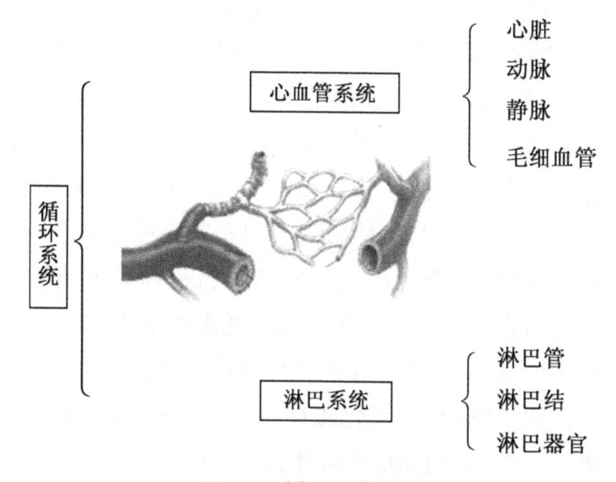

图1-3 循环系统构成

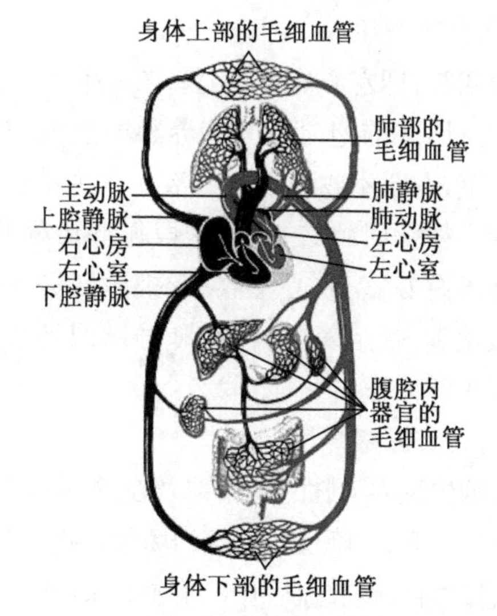

图1-4 心血管系统构成

2. 循环系统的机能

心脏是推动血液循环的动力器官,起血泵的作用。动脉输送血液离开心脏到身体各部并不断分支,最后移行于毛细血管,静脉引导血液回到心脏。毛细血管连通于最小动脉与最小静脉之间,管壁极薄,具有渗透性,呈网状分布于全身各组织器官,血液在毛细血管流动缓慢。血液中的一部分液体(含有氧、营养物质)可以通过极薄的毛细血管壁进入组织间隙成为组织液,再与组织细胞进行气体交换和物质交换。含有代谢产物的组织液,除由毛细血管回收沿着静脉回流心脏外,还通过淋巴系统回流静脉,所以淋巴管是静脉的辅助管道。血液循环和淋巴循环不断地把消化器官吸收的营养物质、肺吸入的氧和内分泌腺分泌的激素输送到身体各组织细胞进行新陈代谢,同时将全身各组织细胞的代谢产物(如二氧化碳和尿素等)分别送到肺、肾、皮肤等器官排出体外,从而保证人体生理活动正常进行。此外,循环系统还维持机体内环境的稳定、免疫机能和体温的恒定。

3. 体循环和肺循环

心脏分为四腔,即左心房、左心室、右心房、右心室。左心房接受由肺静脉流回来的饱含氧气和养料的血液,左心房收缩把血液送入左心室,左心室收缩再把血液送入主动脉,血液通过动脉—毛细血管—静脉回到右心房,这段循环历程叫体循环。右心房把血液排入右心室,右心室收缩,把血液送入肺动脉,血液在肺排出二氧化碳,带上氧气,再经肺静脉回到心脏的左心房,这段循环历程叫肺循环。

4. 人体内的血压感知器

在通向大脑的颈内动脉的起始部及在主动脉的起始部(主动脉弓),有对血压上升、下降反应敏感的场所。此外,在起辅助作用的心房、心室、肺血管、腹腔血管中都有血压感知器。当我们坐着或躺着时突然站起,会感到头晕、目眩,这是由于突然站立,使颈内动脉等血液减少,血压下降,造成脑供血不足。一般情况下,此时会发生血压反射，使全身的血管收缩，尽快向大脑输送血液。但在身体状况不好时，或自律神经失调时，一站起就会头晕目眩。调节血压的机理是在颈内动脉及主动脉弓上的血压感受器的压力上升后，这个信息被送到延髓的降压区与心脏抑制中枢，降压区有抑制血管运动中枢的血压上升的作用，同时心脏抑制中枢也抑制心脏的跳动及收缩，使血压下降；反之，当颈内动脉等的压力下降时，就产生与其相反的作用，全身的血压就会上升。

5. 人为什么会有高血压

人体既然能巧妙地调节血压，为什么还会患高血压呢？生活中大多数不明原因发生的高血压，称为原发性高血压，其发病原因是不为人注意的肾脏病、交感神经调节不良、内分泌问题等，还有些目前未知的原因。对患高血压的人，我们会理所当然地想到血压感知器失效、降压区“罢工”等原因，比如普通人的收缩压为100～140 mmHg，血压上升时，此信息传达到降压区及心脏抑制中枢后，很快就会使血压降下来。简单地说，就是对于普通人来说，收缩压>140 mmHg是高血压的状态，但对于高血压患者来说，140 mmHg属于正常，只有收缩压达到150～170 mmHg时，才会产生降压反射机能。实际上，在对高血压患者进行治疗后，可以使血压下降至普通人的水平。对于高血压患者，若服药也不能降血压时，就会对身体产生不良影响，血压高是导致心肌梗死的原因之一。血压升高，将对血管壁产生不间断地刺激，血管壁易产生动脉硬化斑，使此段血液流动紊乱，血小板极易附着在动脉硬化斑上，使血液凝固，发生血管闭塞，导致心肌梗死及脑梗死。

二、呼吸系统

呼吸系统是执行机体和外界进行气体交换的器官的总称。呼吸系统的机能主要是与外界进行气体交换，呼出二氧化碳，吸进氧气，进行新陈代谢。呼吸系统包括呼吸道（鼻腔、咽、喉、气管、支气管）和肺（见图1-5、图1-6）。

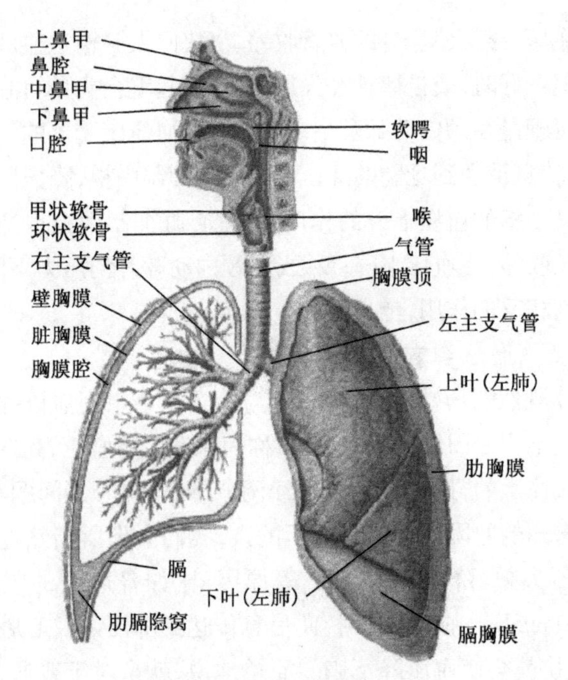

图1-5　呼吸系统组成(一)

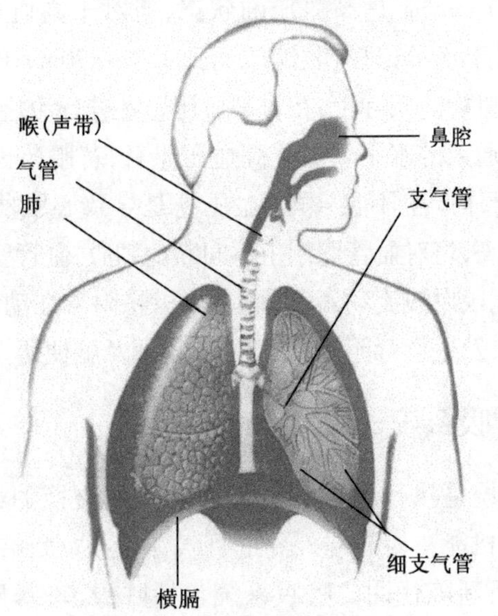

图1-6　呼吸系统组成(二)

1. 呼吸道

呼吸道是气体进出肺的通道,从鼻腔到气管,临床上常以喉环状软骨为界,将其分为上呼吸道和下呼吸道。

(1) 上呼吸道

上呼吸道包括鼻、咽、喉。

① 鼻腔。鼻腔是呼吸道的门户。鼻腔被鼻中隔分为左、右两腔,前鼻孔与外界相通,后鼻孔与咽相连。前鼻腔生有鼻毛,对吸入的空气起过滤作用,可以减少尘埃等有害物质的吸入。整个鼻腔黏膜为假复层纤毛柱状上皮,其间有嗅细胞、杯细胞和分泌腺体,以及相当丰富的血管。因此,鼻腔可以使吸入气体加温加湿,而且当鼻腔受到有害气体或异物刺激时,往往出现打喷嚏、流鼻涕等反应,这是一种保护性反射,对人体起一定的保护作用。鼻腔除上述呼吸作用外,还有嗅觉作用。

② 咽。咽是一个前后略扁的漏斗形管道,由黏膜和咽肌组成。上连鼻腔,下与喉相连,可分鼻咽、口咽及喉咽三部分,是呼吸系统和消化系统的共同通道。咽具有吞咽和呼吸的机能,此外咽也是一个重要的发音共振器官,对发音起辅助作用。咽部具有丰富的淋巴组织,由扁桃体等组成咽淋巴环,可防御细菌对咽部侵袭,在幼年时期此种机能较明显。

③ 喉。喉上与喉咽相连,下与气管相连,既是呼吸通道也是发音器官。喉的支架主要由会厌软骨、甲状软骨和环状软骨组成,喉腔内左右各有一条声带,两声带之间的空隙为声门裂。当呼吸或发音时,会厌打开,空气可以自由出入;而当吞咽时,会厌自动关闭,避免食物进入气管。喉腔黏膜下层结缔组织比较疏松,急性发炎时易引起水肿,造成呼吸困难,甚至窒息,可危及生命。

(2) 下呼吸道

下呼吸道是指气管、支气管、叶、段支气管及各级分支,直到肺泡。气管是气体的传导管道。

气管位于颈前正中，食管之前，上与喉的环状软骨（会厌软骨）相连，向下进入胸腔，在平胸骨角的高度分为左、右支气管。支气管经肺门进入左、右肺。气管内衬有黏膜，其上皮为假复层柱状纤毛上皮，夹有杯状细胞，细胞顶部的纤毛平时向咽部颤动，以清除尘埃和异物，使空气保持清洁，杯状细胞是具有分泌蛋白质功能的细胞。

2. 肺

肺是进行气体交换的场所，位于胸腔，呈圆锥形，右肺较左肺略大。脏层胸膜的斜裂深入组织将肺分为上叶与下叶，右肺另有水平裂使之分为上、中、下三叶。两肺各有肺尖、肺底和两个侧面。肺底与膈肌上部的膈膜相接。肺内侧的肺门与纵隔相依附。肺门是支气管、肺动脉、肺静脉、神经和淋巴管进出的通道。

3. 呼吸系统的机能

呼吸系统的机能主要就是吸入氧气，呼出二氧化碳。呼吸系统提供了巨大的肺泡表面，以便血液能与外界进行氧气和二氧化碳的交换。同时，呼吸系统也具有“呼吸泵”的作用，使空气进入肺泡并在肺泡周围毛细血管内进行气体交换，使氧气进入血液、血液中二氧化碳进入肺泡。除此之外，呼吸系统的其他部分也有各自不同的机能，如上呼吸道除能传导气体外，尚有吞咽、湿化、加温、净化空气、嗅觉和发音的机能；胸廓具有足够的坚硬度来保护肺脏，而同时又具有一定的活动性，可以在呼吸动作时起到类似风箱的作用。

呼吸系统各组成部分的机能是相辅相成的，其中任何一部分发生了障碍都将或多或少地对呼吸机能产生影响。

（1）呼吸机能

呼吸系统完成外呼吸的机能，即肺通气和肺换气。肺通气是肺与外界环境之间的气体交换过程，肺换气是肺泡与肺毛细血管之间的气体交换过程。呼吸的生理过程十分复杂，包括通气、换气、呼吸动力、血液运输和呼吸调节等。

(2) 防御机能

呼吸系统的防御机能通过物理机制(包括鼻部加温过滤、咳嗽、喷嚏、支气管收缩、纤毛运动等)、化学机制(如溶菌酶、乳铁蛋白、蛋白酶抑制剂、抗氧自由基的谷胱甘肽和超氧化物歧化酶等作用)、细胞吞噬(如肺泡巨噬细胞及多形核粒细胞等)和免疫机制(β 细胞分泌抗体、介导迟发型变态反应等杀死微生物)等而得以实现。

(3) 代谢机能

对于肺内生理活性物质(如脂质、蛋白质、结缔组织及活性氧等物质),肺具有代谢机能。某些病理情况能导致肺循环的代谢异常,可能因此导致肺部疾病的恶化,或导致全身性疾病的发生。

(4) 神经内分泌机能

肺组织内存在一种具有神经内分泌机能的细胞,称为神经内分泌细胞或 K 细胞,与肠道的嗜银细胞相似,因此,起源于该细胞的良性或恶性肿瘤在临床上常表现出异常的神经内分泌机能,如皮质醇增多症、肥大性骨病、ADH 分泌过多症和成年男性乳腺增生等。

4. 呼吸和呼吸运动

人体的组织细胞在新陈代谢过程中,不断地消耗氧,并产生二氧化碳。但是,人体本身不能产生氧,存储的氧也只够耗用几分钟,如果不及时补充,就会很快造成缺氧,甚至在短时间内就可使组织器官发生机能和结构的病理改变,特别是代谢率较高的脑组织,更易受缺氧的损害,引起中枢神经系统的机能障碍。另一方面,人体也不断产生二氧化碳,而二氧化碳蓄积过多,会产生呼吸性酸中毒,因此必须随时将其排出。正是缺氧和二氧化碳过多激发了人体的呼吸机能,以便不断地从外界吸入氧并排出二氧化碳。机体与外界环境进行的这种气体交换过程,就叫呼吸。呼吸运动是通过 3 个连续的过程来实现的。① 外呼吸:外界空气经呼吸道在肺泡与肺循环毛细血管内血液间的气体交换。② 气体运输:肺循环毛细血管与体循环毛细血管内血液中的气体运输过程。③ 内呼吸:体循环毛细血管内的血液与组织细胞间的气体交换。

随着胸廓的扩张和回缩,空气经呼吸道进出肺称为呼吸运动。肺的舒缩完全靠胸廓的运动。胸廓扩张时,将肺向外方牵引,空气入肺,称为吸气运动。胸廓回缩时,肺内空气被排出体外,称为呼气运动。由于呼吸运动的不断进行,便保证肺泡内气体成分的相对恒定,使血液与肺泡内气体间的气体交换得以不断进行。正常成年人在安静状态下,每次吸入或呼出的气量称为潮气量,平均为 400 ~ 500 mL。每分钟出入肺的气体总量称为每分钟通气量,它等于潮气量和呼吸频率的乘积。正常成年人在安静状态下的呼吸频率为 16 ~ 18 次/分,所以每分钟通气量为 6 000 ~ 8 000 mL。适应体力活动需要而加强呼吸时,每分钟通气量可达 70 L。正常成年人在平和呼气之后,如再做最大呼气称为补呼气,为 1 000 ~ 1 500 mL。在平和吸气之后,如再做最大吸气,称为补吸气,为 1 000 ~ 1 800 mL。潮气、补呼气、补吸气三者之和称为肺活量,男性约为 3 500 mL,女性约为 2 500 mL。它是一次肺通气的最大范围,可以反映肺通气机能的储备力量及适应能力。肺活量的大小与人的身高、胸围、年龄、健康情况有关。肺活量并不等于肺内所容纳的全部气体量,即便在补呼气之后,肺内也还余留一部分气体不能完全呼出,称为余气。健康青年人的余气为 1 000 ~ 1 500 mL。人们每次吸入的空气,从鼻腔到细支气管这段呼吸道内的气体,不能与血液进行气体交换,这是气体交换的无效腔,成人容量约为 150 mL。例如,每次吸入 500 mL 新鲜空气,实际上只有大约 350 mL 进入肺泡参加气体交换,其余的停留在无效腔中不起作用。因此从气体交换的效率来看,呼吸的深度极为重要。深而慢的呼吸,其效率要高于浅而快的呼吸。

呼吸运动是许多呼吸肌的协同性活动。呼吸肌的活动由呼吸中枢通过有关的躯体神经来支配。正常人的自动的、有节律性的呼吸是受呼吸中枢的反射性调节的。若呼吸中枢的兴奋状态发生改变,呼吸的节律和深度也会随之改变。

5. 呼吸急促的原因

当我们屏住呼吸时,逐渐会感到难受,再开始喘气时则呼吸很急促,要过一会儿才能恢复过来。在运动时,我们的呼吸也同样急促。这是因为在我们的体内有感知空气的感受器,当体内空气不足时,它会将此信息传至大脑。另外,在睡觉时,呼吸是有规律地反复进行。这是由于体内有控制吸气、吐气的指令。那么这个指令是从脑内还是从脊髓或肺,或身体的其他部位发出的呢? 我们经常看到这种情况,有人颈椎部受伤后,不仅手足不能活动,而且呼吸也不能进行,必须依靠人工呼吸器呼吸。这就表明了发出呼吸指令的是在颈椎的上方,也就是延髓部。人颈总动脉中有个如小米粒大小的器官称为颈动脉体,另外在心脏大动脉弓上有大动脉体,它们就是血液气体感受器。由颈动脉体发出的信号刺激延髓的呼吸中枢(吸气中枢与呼气中枢),一般情况下,吸气中枢有规律地活动,当刺激吸气中枢时,呼吸就会加快,而呼气中枢仅在有加快呼吸的意图时才活动。也就是说,正常时人体只进行有意识的吸气,而呼气则靠肋骨的压力自然进行。在大脑中还有能察觉肺的充满度的机能,即赫-布二氏反射。在肺膨胀时它可把肺膨胀的信息传送到吸气中枢,再控制肺的扩张。因此肺吸气膨胀后,这个信息即通过迷走神经控制吸气中枢,吸气被抑制,转变为呼气。当体内缺少氧气或二氧化碳过多时,也就是血液 pH 值降低时,呼吸感受器将信息传递给呼吸中枢,刺激呼吸加快。

6. 人不能长时间呼吸纯氧

我们经常遇到的危急情况是氧气不足,如一氧化碳中毒及氰化物中毒等。一氧化碳或氰化物主要影响血红蛋白与细胞色素,使血红蛋白与氧气不能结合,造成全身缺氧。在这种情况下,要让氧的压力增高,使氧与血红蛋白竞争性结合,才能使一氧化碳或氰化物离开血红蛋白。所以对于这种患者常采用高压氧疗法,即让患者在一个大容器里,向内输送高压氧气。但是,这并不是说氧对人体无害,有时也会发生氧中毒。当人体吸入纯氧气时,就会刺激气管引起咳嗽、咽喉痛。达到1个大气压时肌肉会痉挛、目眩、昏睡,在4个大气压下30分钟以上或6个大气压下几分钟后,人便进入昏睡状态。

人体各组织均不能承受过多的氧,这是因为氧本身不靠酶催化就能与不饱和脂肪酸反应,并能破坏储存这些酸的磷脂,而磷脂又是构成细胞生物膜的主要成分,从而最终造成细胞死亡,这个过程叫作脂质过氧化。此外,氧对细胞的破坏还在于它可以产生自由基,诱发癌症。实验证明,毁灭细胞培养物的办法就是将它置于过饱和氧的环境中。

三、消化系统

消化系统由消化道和消化腺两大部分组成。消化道包括口腔、咽、食管、胃、小肠(十二指肠、空肠、回肠)和大肠(盲肠、阑尾、结肠、直肠、肛管)。临床上常把口腔到十二指肠的这一段称为上消化道,空肠以下的部分称为下消化道。消化腺有小消化腺和大消化腺两种。小消化腺散布于消化道各部的管壁内,大消化腺包括三对唾液腺(腮腺、下颌下腺、舌下腺)、肝(胆囊)和胰。消化系统是人体九大系统之一(见图1-7)。

1. 消化系统的机能

消化系统的基本生理机能是摄取、转运、消化食物和吸收营养、排泄废物,这些生理机能的完成有利于整个胃肠道协调的生理活动。食物中的营养物质除维生素、水和无机盐可以被直接吸收利用外,蛋白质、脂肪和糖类等均不能被机体直接吸收利用,需在消化道内被分解为结构简单的小分子物质，才能被吸收利用。

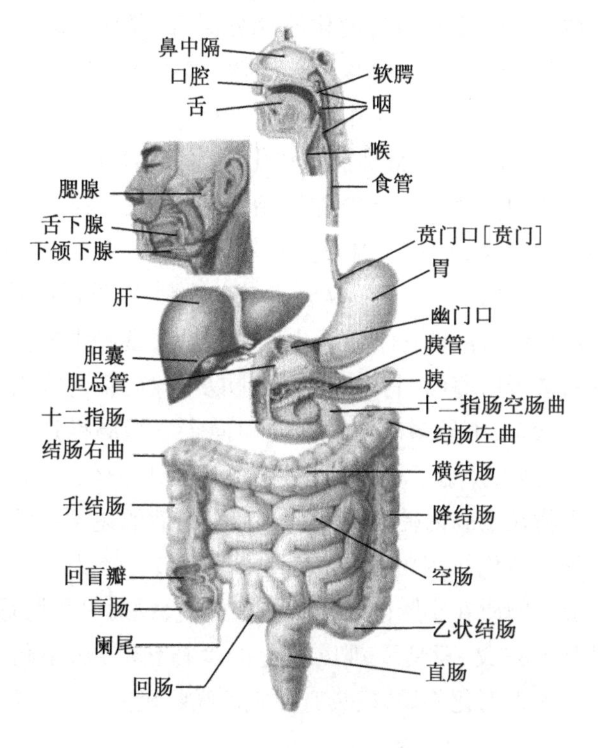

图 1-7　消化系统组成

食物在消化道内被分解成结构简单、可被吸收的小分子物质的过程就称为消化。这种小分子物质透过消化管黏膜上皮细胞进入血液和淋巴液的过程就是吸收。对于未被吸收的残渣部分，消化道则通过大肠以粪便形式排出体外。

2. 消化和吸收过程

消化过程包括物理性消化和化学性消化。由消化腺分泌的各种消化液，将复杂的营养物质分解为肠壁可以吸收的简单的化合物，如糖类分解为单糖，蛋白质分解为氨基酸，脂类分解为甘油及脂肪酸。然后这些被分解的营养物质被小肠（主要是空肠）吸收进入血液和淋巴液。这种消化过程叫化学性消化。

机械性消化即物理性消化,是通过消化管壁肌肉的收缩活动,将食物磨碎,使食物与消化液充分混合,并使消化了的食物成分与消化管壁紧密接触以便于吸收,最后使不能消化的食物残渣由消化道末端排出体外。

在正常情况下,机械性消化和化学性消化是同时进行、互相配合的。食物的消化是从口腔开始的,食物在口腔内以机械性消化(食物被磨碎)为主,因为食物在口腔内停留时间很短,故口腔内的消化作用不大。食物从食管进入胃后,即受到胃壁肌肉的机械性消化和胃液的化学性消化作用,此时,食物中的蛋白质被胃液中的胃蛋白酶(在胃酸参与下)初步分解,胃内容物变成粥样的食糜状态,小量多次地通过幽门向十二指肠推送。食糜进入十二指肠后,开始了小肠内的消化。小肠是消化、吸收的主要场所。食物在小肠内受到胰液胆汁和小肠液的化学性消化及小肠的机械性消化作用,各种营养成分逐渐被分解为简单的可吸收的小分子物质在小肠内被吸收。因此,食物通过小肠后,消化过程已基本完成,只留下难以消化的食物残渣,从小肠进入大肠。大肠内无消化作用,仅具有一定的吸收机能。

3. 重要的消化器官

(1) 胰腺

胰腺有两种基本的组织:分泌消化酶的胰腺腺泡和分泌激素的胰岛。消化酶进入十二指肠,而激素进入血液。

消化酶由胰腺腺泡产生,再经各种小管汇集到胰管,后者在奥迪括约肌处加入胆总管,故消化酶与胆汁在此处汇合,再一并流入十二指肠。胰腺分泌的酶能消化蛋白质、碳水化合物和脂肪。分解蛋白质的酶是以无活性的形式分泌出来的,只有到达肠腔时才被激活。胰腺还分泌大量的碳酸氢盐,通过中和从胃中来的盐酸保护十二指肠。

胰腺分泌的激素有 3 种:① 胰岛素,作用是降低血糖水平;② 胰高血糖素,作用是升高血糖水平;③ 生长抑制素,抑制上述两种激素的释放。

(2) 肝脏

肝脏是一个有多种机能的大器官,仅某些机能与消化有关。

食物的营养成分被吸收进入小肠壁,而小肠壁有大量的微小血管(毛细血管),这些毛细血管汇入小静脉、大静脉,最后经门静脉进入肝脏。在肝脏内,门静脉分为许多细小的血管,流入的血液即在此进行处理。

肝脏对血液的处理有两种形式:清除从肠道吸收来的细菌和其他异物;进一步分解从肠道吸收来的营养物质,使其成为身体可利用的形式。肝脏高效率地进行这种身体所必需的处理过程,使富含营养物质的血液流入体循环。

肝脏产生的胆固醇占全身胆固醇的一半,另一半来自食物。肝脏产生的胆固醇大约有80%用于制造胆汁。肝脏分泌的胆汁储存于胆囊,供消化时使用。胆汁无法直接起到消化作用,但可以促进脂肪乳化,有利于脂肪的消化和吸收。

(3) 胆囊与胆道

胆汁流出肝脏后,经左右肝管流入由二者合并而成的肝总管。肝总管与来自胆囊的胆囊管汇合成胆总管。胰管就是在胆总管进入十二指肠处汇合到胆总管的。

未进餐时,胆盐在胆囊中浓缩,仅有少量胆汁来自肝脏。当食物进入十二指肠时,通过一系列的激素和神经信号引起胆囊收缩,胆汁被排入十二指肠,并与食物混合。胆汁有两个重要机能:帮助脂肪消化和吸收;使体内的一些废物排出体外,特别是红细胞衰老破坏产生的血红蛋白和过多的胆固醇。

胆汁具有以下特别作用:① 胆盐增加了胆固醇、脂肪和脂溶性维生素的溶解性,有助于它们的吸收;② 胆盐刺激大肠分泌水,有助于肠内容物在其中的运行;③ 红细胞破坏后的代谢废物胆红素(胆汁中的主要色素)通过胆汁排出;④ 药物和其他废物通过胆汁排出,随后被排出体外;⑤ 胆汁中含有起重要作用的各种蛋白质;⑥ 胆盐被重吸收进入小肠壁,继而被肝脏摄取,然后又被分泌进入胆汁。胆汁的这种循环称为肠肝循环。体内的所有胆盐一天循环 10 ~ 12 次。每一次经过肠道时,小量的胆盐会进入结肠,并由细菌将其分解为各种成分,一些成分被再吸收,其余随粪便排出体外。

四、泌尿系统

泌尿系统由肾脏、输尿管、膀胱及尿道组成(见图 1-8),其主要机能为排泄。排泄是指机体代谢过程中所产生的各种不为机体所利用或者有害的物质向体外输送的生理过程。被排出的物质一部分是营养物质的代谢产物;另一部分是衰老的细胞被破坏时形成的废物。此外,排泄物中还包括一些随食物摄入的多余物质,如多余的水、无机盐、蛋白质等。

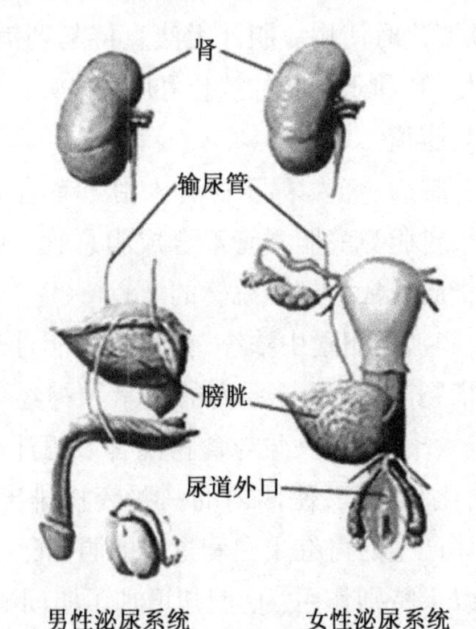

图 1-8　泌尿系统组成

人体排泄的途径有如下几种: ① 由呼吸器官排出,主要是二氧化碳和一定量的水,水以水蒸气的形式随呼出气体排出;

② 从皮肤排出，主要是以汗的形式由汗腺分泌排出体外，其中除水外，还含有氯化钠和尿素等；③ 以尿液的形式从肾脏排出。

尿液中所含的排泄物为水溶性并具有非挥发性的物质和异物，种类很多，量也很大，因而肾脏是排泄的主要器官。此外，肾脏通过调节细胞外液量和渗透压，保留体液中的重要电解质，排出氢，维持酸碱平衡，从而保持内环境的相对稳定。因此肾脏又是一个维持内环境稳定的重要器官。肾脏还可生成某些激素，如肾素、促红细胞生成素等，所以肾脏还具有内分泌机能。

每个肾脏由120万个肾单位组成，人体双肾一共有240万个肾单位。每个肾单位由肾小体和肾小管组成，肾小体又包括肾小球、肾小囊。

尿的生成是在肾单位中完成的。血液流经肾小球时除大分子蛋白质和血细胞外，血液中的尿酸、尿素、水、无机盐和葡萄糖等物质通过肾小球和肾小囊内壁的滤过作用，进入肾小囊腔中，形成原尿（人一天中形成的原尿约有180 L）。当原尿流经肾小管时，原尿中对人体有用的全部葡萄糖、大部分水和部分无机盐，被肾小管重新吸收，回到肾小管周围毛细血管的血液里。原尿经过肾小管的重吸收，剩下的水、无机盐、尿素和尿酸等就形成了尿液。之后尿液进入肾盂，经过肾盂的收缩进入输尿管，再通过输尿管的蠕动进入膀胱。

尿生成是持续不断的，而排尿是间断的。将尿生成的持续性转变为间断性排尿，是由膀胱的机能完成的。尿由肾脏生成后经输尿管流入膀胱，在膀胱中贮存。膀胱是一个囊状结构，位于盆腔内。当积蓄到一定量之后，就会产生尿意，在神经系统的支配下，由尿道排出体外。

五、内分泌系统

内分泌系统是一种整合性的调节机制，通过分泌特殊的化学物质实现对有机体的控制与调节。作为机体的重要调节系统，它与神经系统相辅相成，共同调节机体的生长发育和各种代谢，维持内环境的稳定，并影响行为和控制生殖等。

人体主要的内分泌腺有甲状腺、甲状旁腺、肾上腺、脑垂体、松果体、胰岛、胸腺和性腺等。

内分泌细胞分泌的激素，按化学性质分为含氨激素（包括氨基酸衍生物、胺类、肽类和蛋白质类激素）和类固醇激素两大类。

1. 甲状腺

甲状腺位于气管上端的两侧，呈蝴蝶形，分左、右两叶，中间以峡部相连，峡部横跨第二、三气管软骨的前方。正常人在吞咽时甲状腺随喉上下移动。甲状腺的前面仅有少数肌肉和筋膜覆盖，故稍肿大时可在体表摸到。

甲状腺的生理机能主要体现在以下几个方面。

（1）对代谢的影响

① 产热效应。甲状腺激素可提高大多数组织的耗氧率，增加产热效应。甲状腺机能亢进患者的基础代谢率可增高 35% 左右，而甲状腺机能低下患者的基础代谢率可降低 15% 左右。

② 对三大营养物质代谢的作用。在正常情况下，甲状腺激素主要是促进蛋白质合成，特别是使构成骨、骨骼肌、肝的蛋白质的合成明显增加。然而甲状腺激素分泌过多，反而使蛋白质，特别是骨骼肌的蛋白质大量分解，导致消瘦无力。在糖代谢方面，甲状腺激素有促进糖的吸收、肝糖原分解的作用，同时它还能促进外周组织对糖的利用。总之，它加速了糖和脂肪代谢，特别是促进许多组织的糖、脂肪及蛋白质的分解氧化过程，从而增加机体的耗氧量和产热量。

（2）促进生长发育

甲状腺激素调节代谢过程，促使人体正常生长和发育，特别对骨骼和神经系统的发育有明显的促进作用。因此，如儿童在生长时期甲状腺机能减退则会发育不全，智力迟钝，身材矮小，临床上称为呆小症。

(3) 提高神经系统的兴奋性

甲状腺素有提高神经系统兴奋性的作用,特别是对交感神经系统的兴奋作用最为明显。甲状腺激素可直接作用于心肌,使心肌收缩力增强,心率加快。甲状腺机能亢进的患者常表现为容易激动、失眠、心动过速和多汗。

2. 甲状旁腺

甲状旁腺有 4 颗,位于甲状腺两侧的后缘内,左右各 2 个,总重量约 100 mg。甲状旁腺分泌的甲状旁腺素起调节机体钙磷代谢的作用,它一方面抑制肾小管对磷的重吸收,促进肾小管对钙的重吸收,另一方面促进骨细胞释放磷和钙进入血液,提高血液中钙的含量。所以甲状旁腺的正常分泌使血液中的钙不致过低,磷不致过高,保持血液中钙与磷的适宜比例。

3. 脑垂体

脑垂体是一个椭圆形的小体,重不足 1 g,位于颅底垂体窝内,借垂体柄与丘脑下部相连,分腺体部和神经部。它分泌多种激素:

① 生长激素:生长激素与骨的生长有关,幼年时期如缺乏,则使长骨的生长中断,导致侏儒症;如过剩,则使全身长骨发育过盛,导致巨人症。

② 催乳素:催乳素可以催进乳腺增殖和乳汁生成及分泌。

③ 促性腺激素:促性腺激素包括卵泡刺激素和黄体生成素,可促进雄、雌激素的分泌,卵泡和精子的成熟。

④ 促肾上腺皮质激素:促肾上腺皮质激素主要作用于肾上腺皮质的束、网状带,促使肾上腺皮质激素的分泌。该激素缺乏,将出现与艾迪生病相同的症状,但无皮肤色素沉着现象。

⑤ 促甲状腺激素:促甲状腺激素作用于甲状腺,使甲状腺增大,甲状腺素的生成与分泌增多。该激素缺乏,将引起甲状腺机能低下症状。

⑥ 抗利尿激素:抗利尿激素由下丘脑某些神经细胞产生,并

运输储藏在垂体。它作用于肾脏,促进水的重吸收,调节水的代谢。这种激素缺乏时,发生多尿,称为尿崩症;过多时,它能使血管收缩,血压升高,所以它又被称为血管加压素。

⑦ 催产素:催产素与抗利尿激素相似,也由下丘脑某些神经细胞产生。它能刺激子宫收缩,并促进乳汁排出。

4. 胰岛

胰岛是散在胰腺腺泡之间的细胞团,仅占胰腺总体积的1% ~2% 。

胰岛素的主要作用是调节糖、脂肪及蛋白质的代谢。它能促进全身各组织,尤其能加速肝细胞和肌细胞摄取葡萄糖,并且促进它们对葡萄糖的储存和利用。肝细胞和肌细胞大量吸收葡萄糖后,一方面将其转化为糖原储存起来,或在肝细胞内将葡萄糖转变成脂肪酸,转运到脂肪组织储存;另一方面促进葡萄糖氧化生成高能磷酸化合物作为能量来源。血糖浓度是调节胰岛素分泌的最基本的因素。

胰岛素的另一个作用是促进肝细胞合成脂肪酸。进入脂肪细胞的葡萄糖不仅用于合成脂肪酸,而且主要使其转化成α-磷酸甘油,并与脂肪酸形成甘油三酯储存于脂肪细胞内。此外,胰岛素还能抑制脂肪分解。胰岛素缺乏时糖不能被储存利用,不仅引起糖尿病,而且还可引起脂肪代谢紊乱,出现血脂升高、动脉硬化,引起心血管系统发生严重病变。

胰岛素对于蛋白质代谢也起着重要作用。它能促进氨基酸进入细胞,然后直接作用于核糖体,促进蛋白质的合成。它还能抑制蛋白质分解,对机体生长过程十分重要。

5. 肾上腺

肾上腺位于肾脏上方,左右各一。肾上腺分为两部分:外周部分为皮质,占大部分;中心部分为髓质,占小部分。皮质是腺垂体的一个靶腺,而髓质则受交感神经节前纤维直接支配。

（1）皮质

肾上腺皮质的组织结构可以分为球状带、束状带和网状带3层。球状带腺细胞主要分泌盐皮质激素。束状带与网状带分泌糖皮质激素，网状带还分泌少量性激素。

① 肾上腺糖皮质激素一方面促进蛋白质分解，使氨基酸在肝中转变为糖原；另一方面又有对抗胰岛素的作用，抑制外周组织对葡萄糖的利用，使血糖升高。糖皮质激素对四肢脂肪组织分解增加，使腹、面、两肩及背部脂肪合成增加。因此，肾上腺皮质机能亢进或服用过量的糖皮质激素可出现满月脸、水牛背等“向心性肥胖”等体形特征。过量的糖皮质激素促使蛋白质分解，使蛋白质的分解更新不能平衡，分解多于合成，造成肌肉无力。

糖皮质激素对水盐代谢也有一定作用，它主要对排水有影响，缺乏时会出现排水困难。同时它还能增强骨髓的造血机能，使红细胞及血小板数量增加，使中性粒细胞增加，促进网状内皮细胞吞噬嗜酸性粒细胞，抑制淋巴组织增生，使血中嗜酸性粒细胞、淋巴细胞减少。在对血管反应方面既可以使肾上腺素和去甲肾上腺素降解减慢，又可以提高血管平滑肌对去甲肾上腺素的敏感性，另外还有降低毛细血管通透性的作用。当机体遇到创伤、感染、中毒等有害刺激时，糖皮质激素还具备增强机体应激能力的作用。因此，肾上腺糖皮质激素已广泛用于抗炎、抗中毒、抗休克和抗过敏等治疗。

② 肾上腺盐皮质激素主要作用为调节水盐代谢。在这类激素中以醛固酮作用最强，脱氧皮质酮次之。这些激素一方面作用于肾脏，促进肾小管对钠和水的重吸收并促进钾的排泄，另一方面影响组织细胞的通透性，促使细胞内的钠和水向细胞外转移，并促进细胞外液中的钾向细胞内移动。因此，在皮质机能不足的时候，血钠、血浆量和细胞外液都减少，而血钾、细胞内钾和细胞内液量都增加。由于血浆减少，因而血压下降，严重时可引

起循环衰竭。

③ 肾上腺皮质分泌的性激素以雄激素为主,可促进性成熟。少量的雄激素对妇女的性行为甚为重要。雄激素分泌过量时可使女性男性化。

(2) 髓质

肾上腺髓质位于肾上腺中心,分泌两种激素:肾上腺素和去甲肾上腺素。它们的生物学作用与交感神经系统紧密联系,作用很广泛。当机体遭遇紧急情况时,如恐惧、惊吓、焦虑、创伤或失血等情况,交感神经活动加强,髓质大量分泌肾上腺素和去甲肾上腺素,使心跳加强加快,心输出量增加,血压升高,血流加快;支气管舒张,以改善氧的供应;肝糖原分解,血糖升高,增加营养的供给。

6. 胸腺

胸腺是一个淋巴器官,兼有内分泌机能。在新生儿和幼儿时期胸腺发达,体积较大,性成熟以后,逐渐萎缩、退化。胸腺分为左、右两叶,不对称,成人胸腺 25 ~ 40 g,色灰红,质柔软,主要位于上纵隔的前部。胸腺在胚胎期是造血器官,在成年期可产生淋巴细胞、浆细胞和髓细胞。胸腺的网状上皮细胞可分泌胸腺素,它可促进具有免疫机能的 T 细胞的产生和成熟,并能抑制运动神经末梢的乙酰胆碱的合成与释放。因此,当发生胸腺瘤时,因胸腺素增多,可导致神经肌肉传导障碍而出现重症肌无力。

7. 性腺

性腺主要指男性的睾丸、女性的卵巢。

(1) 睾丸

睾丸可分泌男性激素睾丸酮(睾酮),其主要机能是促进性腺及其附属结构的发育及副性征的出现,还有促进蛋白质合成的作用。

(2) 卵巢

卵巢可分泌卵泡素、孕酮、松弛素和女性激素,其机能包括:

① 刺激子宫内膜增生,促使子宫增厚、乳腺变大;② 促进子宫上皮和子宫腺的增生,保持体内水、钠、钙的含量,并能降血糖,升高体温;③ 促进宫颈和耻骨联合韧带松弛,有利于分娩等。

六、免疫系统

免疫系统具有免疫监视、防御、调控的作用。这个系统由免疫器官(骨髓、脾脏、淋巴结、扁桃体、小肠集合淋巴结、阑尾、胸腺等)、免疫细胞(淋巴细胞、单核吞噬细胞、中性粒细胞、嗜碱粒细胞、嗜酸粒细胞、肥大细胞、血小板),以及免疫分子(补体、免疫球蛋白、干扰素、白细胞介素、肿瘤坏死因子)等细胞因子组成。免疫系统分为固有免疫(又称非特异性免疫)和适应免疫(又称特异性免疫),其中适应免疫又分为体液免疫和细胞免疫。

1. 中枢免疫器官

(1) 骨髓

骨髓位于骨髓腔内,分为红骨髓和黄骨髓。红骨髓具有活跃的造血机能。因此,骨髓是各类血细胞和免疫细胞发生及成熟的场所,是人体的重要中枢免疫器官。其机能包括:① 各类血细胞和免疫细胞发生的场所;② B 细胞分化成熟的场所;③ 体液免疫应答发生的场所。

(2) 胸腺

胸腺是人体主要的淋巴器官,外围的淋巴器官包括扁桃体、脾、淋巴结、集合淋巴结与阑尾。这些关卡都是用来防堵入侵的毒素及微生物。研究显示,盲肠和扁桃体内有大量的淋巴结,这些结构能够协助免疫系统运作。

胸腺位于胸骨后、心脏的上方,是 T 细胞分化、发育和成熟的场所。人胸腺的大小和结构随年龄的不同具有明显的差异。胸腺于胚胎 20 周时发育成熟,是发生最早的免疫器官,到出生时胸腺约重 15 ~ 20 g,以后逐渐增大,至青春期可达 30 ~ 40 g,青春期后,胸腺随年龄增长逐渐萎缩退化,到老年时基本被脂肪组织取代。随着胸腺的逐渐萎缩,机能衰退,细胞免疫力下降,其对感染和肿瘤的监视机能减低。胸腺具有3种机能:① T细胞分化、成熟的场所;② 免疫调节:对外周免疫器官和免疫细胞具有调节作用;③ 建立与维持自身免疫耐受。

2. 外周免疫器官

外周免疫器官包括脾脏、淋巴结、黏膜相关淋巴组织和皮肤相关淋巴组织。

(1) 脾

脾脏是血液的仓库。它承担着过滤血液的职能,除去死亡的血细胞,并吞噬病毒和细菌。它还能激活B细胞使其产生大量的抗体。脾是胚胎时期的造血器官,自骨髓开始造血后,脾演变为人体最大的外周免疫器官,具有4种机能:① T细胞和B细胞的定居场所;② 免疫应答发生的场所;③ 合成某些生物活性物质;④ 过滤作用。

(2) 淋巴结

淋巴结是一个拥有数十亿个白细胞的小型战场。当因感染而须开始作战时,外来的"入侵者"和免疫细胞都聚集在这里,淋巴结就会肿大,作为整个"军队"的排水系统,淋巴结肩负着过滤淋巴液的工作,把病毒、细菌等废物运走。人体内的淋巴液大约比血液多出4倍。人全身有500~600个淋巴结,是结构完备的外周免疫器官,广泛存在于全身非黏膜部位的淋巴通道上。淋巴结具有以下机能:① T细胞和B细胞定居的场所;② 免疫应答发生的场所;③ 参与淋巴细胞再循环;④ 过滤作用。

(3) 黏膜相关淋巴组织

黏膜相关淋巴组织(MALT)亦称黏膜免疫系统(MIS),主要是指呼吸道、胃肠道及泌尿生殖道黏膜固有层和上皮细胞下散在的无被膜淋巴组织,以及某些带有生发中心的器官化的淋巴组织,如扁桃体、小肠的派氏集合淋巴结(PP)及阑尾等。主要包括肠相关淋巴组织、鼻相关淋巴组织(包括咽扁桃体、腭扁桃体、舌扁桃体及鼻后部其他淋巴组织,其主要作用是抵御经空气传播的病原微生物的感染)和支气管相关淋巴组织等。

扁桃体对经由口鼻进入人体的入侵者保持着高度的警戒。那些割除扁桃体的人患上链球菌咽喉炎和霍奇金病的概率明显升高。这证明扁桃体在保护上呼吸道方面具有非常重要的作用。

盲肠能够帮助B细胞发育成熟及生产抗体(IgA)。盲肠还能“通知”白细胞消化道内存在入侵者。在帮助局部免疫的同时,盲肠还能帮助控制抗体的过度免疫反应。病原微生物最易入侵的部位是口,而肠道与口相通,所以肠道的免疫机能非常重要。

3. 人体免疫防线

人体共有3道免疫防线:

(1) 第一道防线是由皮肤和黏膜构成的,它们不仅能够阻挡病原体侵入人体,而且它们的分泌物(如乳酸、脂肪酸、胃酸和酶等)还有杀菌的作用。如呼吸道黏膜上有纤毛,可以清除异物;口腔淋巴结、扁桃体可以杀菌。

(2) 第二道防线是体液中的杀菌物质和吞噬细胞。

这两道防线是人类在进化过程中逐渐建立起来的天然防御机能,特点是人生来就有,不针对某一种特定的病原体,对多种病原体都有防御作用,因此叫作非特异性免疫(又称先天性免疫)。多数情况下,这两道防线可以防止病原体对机体的侵袭。

(3) 第三道防线主要由免疫器官(胸腺、淋巴结和脾脏等)和免疫细胞(淋巴细胞)组成。

第三道防线是人体在出生以后逐渐建立起来的后天防御机能,特点是只针对某一特定的病原体或异物起作用,因而叫作特异性免疫(又称后天性免疫)。

4. 免疫力低下的迹象

(1) 经常感到疲劳:工作经常提不起劲儿,稍做一点儿事就感到累,去医院检查也没有发现器质性病变,休息一段时间后精力得以缓解,但不久后,这样的毛病还会再犯。

(2) 感冒不断:感冒成了家常便饭,天气稍微变冷就容易感冒,而且要经历好长一段时间才好,许多抗生素都无能为力了。

(3) 伤口容易感染:不小心被划伤后,不出几天伤口就红肿,甚至流脓,影响日常生活;或者是手术后伤口的愈合时间大大地超过了医学上的正常愈合时间;或者身体某个部位反复长又疼又痒的小疖子。

(4) 娇气的肠胃:肠胃像个没有长大的婴儿,吃不得一点点被污染的东西,对某些食物有一种特别的恐惧,稍不注意就会上吐下泻,说明肠胃的自身保护机能存在问题。

(5) 易受传染病的攻击:周围环境有传染源,就很可能被传染。

5. 如何提高免疫力?

(1) 借助睡眠:睡眠与人体免疫力密切相关。著名免疫学家通过"自我睡眠"实验发现,良好的睡眠可使体内的淋巴细胞数量明显上升。医学专家的研究表明,睡眠时人体会产生一种称为胞壁酸的睡眠因子,此因子可促使白细胞增多,巨噬细胞活跃,肝脏解毒机能增强,从而将侵入的细菌和病毒消灭。

(2) 保持乐观情绪:乐观的态度可以让人体处于最佳状态,尤其是在现今社会,人们面临的压力很大,巨大的心理压力会导致对人体免疫系统有抑制作用的荷尔蒙成分增多,所以容易受到感冒或其他疾病的侵袭。

(3) 限制饮酒:每天饮低度白酒不超过 100 mL,黄酒不超过 250 mL,啤酒不超过 1 瓶,因为酒精对人体的每一个部分都会产生消极影响。即使喝葡萄酒可以降低胆固醇,也应该限制每天一杯,过量饮用会给血液与心脏等器官造成很大破坏。

(4) 参加运动:有研究表明,每天运动 30 ~ 45 分钟,每周 5 天,持续 12 周后,免疫细胞数目会增加,抵抗力增强。运动后只要心跳加速即可。晚餐后散步就是很好的运动方式。

(5) 补充维生素:每天适当补充维生素和矿物质。专家指出，身体抵抗外来侵害的武器，包括干扰素及各类免疫细胞的数量与活力都和维生素与矿物质有关。

（6）改善体内生态环境：用微生物制剂提高免疫力的研究和应用由来已久。研究表明，以肠道双歧杆菌、乳酸杆菌为代表的有益菌群具有广谱的免疫原性，能刺激淋巴细胞分裂繁殖，同时还能调动非特异性免疫系统，去“吃”掉包括病毒、细菌、衣原体等在内的入侵者。对于健康人来说，平时可多食用乳酸菌饮料；亚健康人群可以用微生物制剂来调节体内微生态平衡。

七、生殖系统

生殖系统是生物体内与生殖密切相关的器官的总称。生殖系统的机能是产生生殖细胞，繁殖新个体，分泌性激素和维持副性征。

1. 男性生殖系统的构成

男性生殖系统由外生殖器和内生殖器组成（见图1-9）。内生殖器由睾丸、附睾、输精管、精囊腺和前列腺组成，外生殖器包括阴茎、尿道和阴囊。

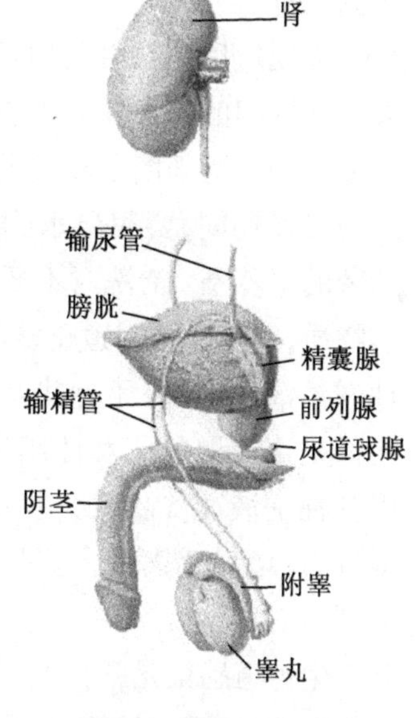

图1-9　男性生殖系统

2. 女性生殖系统的构成

女性生殖系统也包括内生殖器和外生殖器两部分。内生殖器由生殖腺（卵巢）、输卵管道（输卵管、子宫、阴道）和附属腺（前庭大腺）组成，外生殖器包括阴阜、大阴唇、小阴唇、阴蒂、阴道前庭、前庭球等结构（见图1-10）。

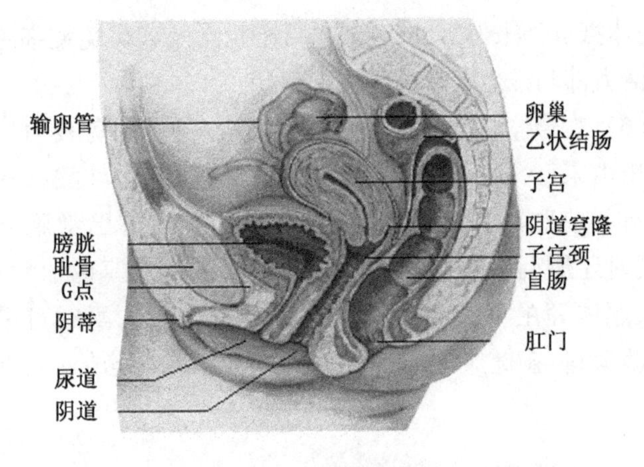

图 1-10　女性生殖系统

女性应注意保持外阴的清洁,在任何时候都要防患于未然。平时要备好专用清洗用具和毛巾。清洗用具在使用前要洗净,毛巾使用后要晒干或在通风处晾干,最好在太阳下曝晒,有利于杀菌消毒。

大便后用手纸由前向后揩拭干净,并最好养成用温水清洗或冲洗肛门的习惯。若不揩净,肛门口留有粪渍,污染了内裤,粪渍内的肠道细菌会趁机侵入阴道,引起炎症。

月经期间,要用温水勤洗外阴,勤换卫生巾,以免血渍成为细菌的培养基。清洗时不要使用碱性大的肥皂或高锰酸钾等化学物质,以免改变阴道正常的酸性环境。有些女性长期使用各种洗液清洗下身,还有些女性在沐浴时用自来水冲洗阴道,这些都是不可取的。女性阴道为酸性环境,有自洁作用,长期使用各种洗液冲洗阴道会杀死对身体有益的阴道杆菌,降低局部抵抗力,增加感染机会。日常清洁可使用 pH 4 的弱酸性女性护理液。

生殖道感染是常见的妇科疾病。它不但会给患者身体上造成伤害,而且阴部的瘙痒、难闻的气味及夫妻性生活时的疼痛都给患者心理上造成更大的伤害。掌握正确的卫生知识,在生活中注重预防疾病的发生，才是远离痛苦的根本。

八、运动系统

1. 运动系统的构成

运动系统由骨、骨连接和骨骼肌组成。人体有206块骨，骨以不同形式（不动、微动或可动）的骨连接联结在一起，构成骨骼，形成了人体体型的基础（见图1-11），并为肌肉提供了广阔的附着点。

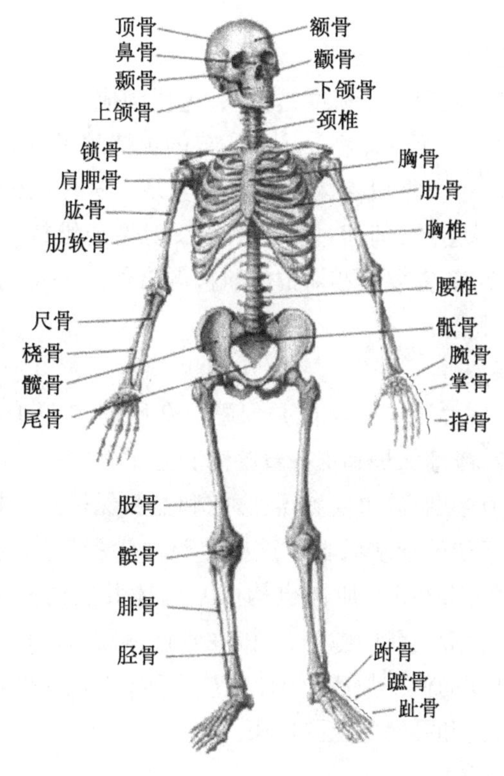

图1-11　人体骨骼

肌肉是运动系统的主动动力装置，在神经支配下，肌肉收缩，牵拉其所附着的骨，以可动的骨连接为枢纽，产生杠杆运动。

构成人体的肌肉有600余块。

2. 运动系统的机能

(1) 运动

顾名思义,运动系统的首要机能是运动。人的运动是很复杂的,包括简单的移位和高级活动如语言、书写等,都是在神经系统支配下,通过肌肉收缩实现的。即使一个简单的运动也有许多肌肉参与,一些肌肉收缩"扮演"完成运动预期目的的角色,而另一些肌肉则予以协同配合以使动作平滑、准确,起着相辅相成的作用。

(2) 支持

运动系统的第二个机能是支持,包括构成人体体形、支撑体重和内部器官及维持体姿。人体姿势的维持除了骨和骨连接的支架作用外,主要靠肌肉的紧张度来实现。骨骼肌经常处于不随意的紧张状态中,即通过神经系统反射性地维持一定的紧张度,在静止姿态,需要互相对抗的肌群各自保持一定的紧张度以取得动态平衡。

(3) 保护

运动系统的第三个机能是保护。众所周知,人的躯干形成了几个体腔,颅腔保护和支持着脑髓和感觉器官;胸腔保护和支持着心、大血管、肺等重要脏器;腹腔和盆腔保护和支持着消化、泌尿、生殖系统的众多脏器。这些体腔由骨和骨连接构成完整的壁或大部分骨性壁;肌肉也构成某些体腔壁的一部分,如腹前、外侧壁,胸廓的肋间隙等,或围在骨性体腔壁的周围,形成颇具弹性和韧度的保护层,当受外力冲击时,肌肉反射性地收缩,起着缓冲打击和震荡的重要作用。

3. 何为脱臼

脱臼,指组成关节之骨端脱离正常位置,也叫脱位、出臼、骨出、脱髎、脱骱、骱失。脱臼多因跌打、坠撞所致。

根据病因可分为外伤性、习惯性、病理性及先天性脱臼4种。

临床以外伤性脱臼多见，多发生于肩、肘关节。按脱出程度可分为全脱、半脱；按脱出方向可分为前、后、上、下及中心脱臼等。

脱臼的临床表现为患部肿胀、疼痛，并有明显畸形及机能障碍。治疗宜用手法复位，必要时还须在麻醉下切开复位，复位后则应适当固定及适时进行机能锻炼。

4. 肌肉拉伤是怎么回事

肌肉主动强烈的收缩或被动过度的拉长造成的肌肉细微损伤或部分撕裂或完全断裂，称为肌肉拉伤。它是在体育运动中发生率较高的一种运动伤。

（1）原因：在完成各种体育动作时，肌肉运动超过了本身的负担能力，或突然被动地过度拉长，超过了它的伸展性时，都可发生拉伤。如举重运动弯腰提杠铃时，骶棘肌由于强烈收缩而拉上；在做压腿、劈叉等练习时，突然用力过猛，可使肌肉被过度拉长而发生损伤。在体育运动中，大腿后群肌肉的拉伤最为常见。此外，大腿内收肌、腰背肌、腹直肌、小腿三头肌、上臂肌都是肌肉拉伤的好发部位。

（2）征象：局部疼痛、压痛、肿胀、肌肉紧张、发硬痉挛、机能障碍。肌肉完全断裂者，受伤当时可感到或听到撕裂声，且肿胀明显，皮下瘀血严重，局部可触及凹陷或一端异常隆起。

（3）处理：肌纤维部分断裂者，早期用冷敷、加压包扎、外敷伤药，把损伤肌肉置于放松位置以减轻疼痛。24 或 48 小时后开始在伤部做轻推摩，伤部周围做揉、捏、搓等按摩。开始手法宜轻，以后用力逐渐加重，同时可点压伤部周围的穴位。亦可局部注射肾上腺皮质激素类药，以抑制结缔组织增生，减少瘢痕形成，但组织断裂者禁用。对肌肉、肌腱完全断裂者，可局部加压包扎，固定患肢后，立即送医院手术缝合。

5. 运动损伤的预防

由体育运动或训练引起的肌肉、骨骼、内脏等部位的损伤谓之运动损伤。主动预防损伤，比发生损伤后再去治疗更为重要。

(1) 训练方法要合理

要掌握正确的训练方法和运动技术,科学地增加运动量。对于不同性别、年龄、水平及健康状况的人,训练时在运动量的安排上应因人而异、循序渐进。

例如,年龄小的在训练内容上,应把全面身体训练和专项身体训练结合起来,并以全面身体训练为主;在运动量的安排上应考虑到他们的生理特点,与成年人比较起来训练时间要短些,强度、密度要小些。

(2) 准备活动要充分

在实际工作中,我们发现不少运动伤是由于准备活动不足造成的。因此,在训练前应做好准备活动,为正式练习做好准备。准备活动能增加肌肉中毛细血管开放的数量,提高肌肉的力量、弹性和灵活性,同时也可以提高关节韧带的机能,增强韧带的弹性,使关节腔内的滑液增多,防止肌肉和韧带的损伤。

在进行准备活动时,既要躯干、肢体的大肌肉群和关节充分活动开,也要注意各个小关节的活动。准备活动还应增加一些专项练习的内容。

(3) 注意间隔放松

在训练中为了更快地消除肌肉疲劳,防止由于局部负担过重而出现运动伤,组与组之间的间隔放松非常重要。但是,一些运动员对这一问题重视不够,他们在每组练习后往往站在一旁不动或千篇一律地做些放松跑。这样并不能加快机体疲劳的消除,而且再进行下组练习时还易出现损伤。由于各个项目的练习内容不同,间隔放松的形式也应有所区别。

例如,着重于上肢练习的项目,在间隔期可做些放松慢跑;着重于下肢练习的项目结束后,可以在垫子或草地上仰卧,将两腿举起抖动或做倒立。这样一方面可以促进血液回流,改善血液的供给,另一方面也能使活动肢体中已疲劳的神经细胞加深抑制，得到休息，这对于消除疲劳及防止运动伤有着积极意义。

(4) 防止局部负担过重

训练中运动量过分集中，会造成机体局部负担过重而引起运动伤。例如，膝关节半蹲起跳动作过多，易引起髌骨损伤；过多地练习鸭步可引起膝内侧副韧带及半月板的损伤。因此，在训练中应避免单调片面的训练方法，防止局部负担过重。

(5) 加强易伤部位肌肉力量练习

据统计，在运动实践中，肌肉、韧带等软组织的运动伤最为多见。因此，加强易伤部位的肌肉力量练习，对于防止损伤的发生具有十分重要的意义。

例如，加强股四头肌力量的练习可以防止膝关节损伤，而防止肩关节伤则应加强三角肌、肩胛肌、胸大肌和肱二头肌的练习。

九、神经系统

1. 神经系统的构成和机能

神经系统是机体内起主导作用的系统，由神经组织构成，其基本结构和功能单元是神经元(神经细胞)。神经系统由中枢神经系统和遍布全身各处的周围神经系统两部分构成。

中枢神经系统包括脑和脊髓，分别位于颅腔和椎管内，是神经组织最集中、构造最复杂的部位，是控制各种生理机能的中枢。脑和脊髓位于人体的中轴位，它们的周围有头颅骨和脊椎骨包绕。这些骨头质地坚硬，在人年龄小时还富有弹性，因此可以使脑和脊髓得到很好的保护。脑分为端脑、间脑、小脑和脑干4部分。大脑还分为左、右两个半球，分别管理人体不同的部位。脊髓主要是传导通路，能把外界的刺激及时传送到脑，然后再把脑发出的命令及时传送到周围器官，起到了上传下达的桥梁作用。

周围神经系统包括各种神经和神经节，其中同脑相连的称为脑神经，与脊髓相连的为脊神经，支配内脏器官的称植物性神经。脑神经共有12对，主要支配头面部器官的感觉和运动。人能看到周围事物，听见声音，闻出香臭，尝出滋味，以及有喜怒哀乐的表情等，都必须依靠这12对脑神经。脊神经共有31对，包括颈神经、胸神经、腰神经、骶神经和尾神经。脊神经由脊髓发出，主要支配身体和四肢的感觉、运动及反射。植物神经也称为内脏神经，主要分布于内脏、心血管和腺体，心跳、呼吸和消化活动都受它的调节。植物神经分为交感神经和副交感神经两类，两者之间相互对抗又相互协调，组成一个配合默契的有机整体，使内脏活动能适应内外环境的需要、维持生命活动的正常进行。各类神经通过其末梢与其他器官系统相联系。

2. 痛觉的作用

小孩子都害怕打针，因为打针会使人感到疼痛；不小心被开水烫伤，也会使人疼痛难忍；发烧时头部也会感到剧烈疼痛。人都是怕痛的，没有谁愿意受痛，但疼痛不一定是坏事，痛觉是人体自我保护性的防卫措施。为什么这么说呢？痛觉是皮肤感觉的一种，是辨别各种刺激对机体伤害程度的感觉。这种感觉起到保护人体的作用，它可以防止机体受到进一步的伤害。比如，手被火灼伤，人马上就会把手缩回来；皮肤若被针扎了，人就会设法避开。而且，痛觉又是人体内部的报警系统。比如，肚子痛可以提醒人们可能是肠胃出了毛病，牙痛则预示牙出了毛病，嗓子痛则告知人们得了感冒或喉部发炎，这样可以提醒人们及时去看病治疗，排除病情，保证身体健康。所以，痛觉对人体具有重要的生物学意义。

（顾　鹏　张利远）

第2讲 容易引起紧急情况的常见病

医学急救与各类疾病的突然发作有着密切关联,因此了解现代常见病与多发病的起因、临床征象和防治措施十分必要。通过了解疾病知识,人们可以科学地调整生活方式,避免不必要的损害,保持身心健康,让自己永远不会“被急救”。

一、冠心病

【案例介绍】 某教师,59岁,运动后间歇性左胸部疼痛半年,近1周来间断发作频繁,持续2~8分钟,与劳累、情绪等有关。到医院检查,医师诊断为冠心病,立即住院治疗。

冠心病是冠状动脉硬化性心脏病的简称,这是一种严重危害人类健康的常见病。此病多发生在40岁以后,男性发病率高于女性。发病者不仅出现急性胸痛等症状,还可引发致残、致死等严重后果。

1. 病因

此病病因尚未完全确定,但对常见的冠状动脉硬化所进行的广泛而深入的研究表明,此病是多病因疾病,致病因素包括危险因素、诱发因素和其他相关因素。

(1) 危险因素

① 年龄与性别:多见于40岁以上的中老年人。

② 血脂代谢异常。

③ 高血压:60%~70%的冠状动脉硬化患者患有高血压,高血压患者患冠心病的人数较血压正常者高3~4倍。

④ 吸烟。

⑤ 糖尿病。

(2) 诱发因素

① 劳累。

② 情绪激动。

③ 暴饮暴食。

④ 受寒。

⑤ 急性循环衰竭。

(3) 其他相关因素

① 肥胖。

② 从事体力活动少,脑力活动紧张,经常有工作紧迫感。

③ 西方饮食方式。

④ 遗传因素。

⑤ 性情急躁而不善于劳逸结合。

2. 临床表现

(1) 心绞痛

以发作性胸痛为主要临床表现,部位在心前区,常放射至左肩、左臂内侧达无名指和小指,或至颈、咽、下颌部。胸痛常为压迫、发闷或紧缩性,偶伴濒死感。

(2) 心肌梗死

心绞痛发作较以往频繁,程度较剧烈,持续较久,服用硝酸甘油无效。少部分患者表现为上腹部疼痛,特别易误诊。

3. 预防方法

应积极预防动脉粥样硬化的发生。如疾病已发生,应积极治疗,防止病变发展并争取逆转。已发生并发症者,应及时治疗,防止恶化,延长生命。

4. 一般防治措施

(1) 发挥患者的主观能动性配合治疗。

(2) 合理的膳食:根据患者的体重、年龄制定膳食总热量,严禁暴饮暴食。

(3) 适当的体力劳动和体育锻炼。

(4) 合理安排工作和生活。

(5) 提倡不吸烟、不饮烈性酒。

(6) 积极控制与冠心病相关的一些危险因素,包括高血压、糖尿病、高脂血症、肥胖症等。

5. 药物治疗和手术治疗

急性胸痛时,服用硝酸甘油 0.5 mg 或者心痛定 10 mg,在医师指导下服用阿司匹林。

其他治疗如调整血脂水平、抗血小板治疗、溶栓和抗凝治疗、介入或外科手术治疗等由医师决定。

二、高血压病

【案例介绍】 某男,45 岁,失眠数日,头晕、头痛 2 天伴恶心 2 小时,急诊就诊。测血压 160/105 mmHg,既往没有检查身体,有无高血压病不详。医师给予置留观察后测血压多次,最后诊断为高血压病。嘱患者进行正规药物治疗。

高血压病以血压升高为主要临床表现,是一种伴有或不伴有多种心血管危险因素的综合征,通常简称为高血压。

高血压分为原发性高血压和继发性高血压,前者多见,后者常见于年轻人。高血压是多种心、脑血管疾病的重要病因和危险因素,影响重要器官(如心、脑、肾)的结构和功能,最终导致这些器官的功能衰竭,迄今仍是导致心血管疾病死亡的主要原因之一。

1. 病因

(1) 遗传因素: 父母均有高血压,其子女的发病率高达46%;约有60%的高血压患者有家族史。

(2) 环境因素: 噪音等。

(3) 饮食: 饮食中摄盐量过多(每人每日摄盐量应在4~5 g),平时饮酒多。

(4) 精神应激: 从事脑力劳动者及精神紧张度高的职业人员发病率高。

(5) 危险因素: 男性大于55岁,女性大于65岁;吸烟;血脂高;遗传;肥胖;缺乏体育运动等。

(6) 其他因素: 高血压与服用避孕药及睡眠呼吸暂停低通气综合征等因素有关。

2. 临床表现

头晕,头痛,颈项板紧(强直),睡眠差,易疲劳,心悸,视力模糊,鼻出血等。

3. 防治方法

(1) 改善生活行为: 戒烟,限酒,增加运动,减轻体重,减少钠盐摄入,减少脂肪摄入,协同控制多重心血管危险因素。

(2) 合理降压治疗: 在医师指导下坚持服药治疗,经常监测血压。

三、糖尿病

【案例介绍】 某男,56岁,口干、多饮、疲劳3年余,在当地县医院体检时,空腹血糖8.9 mmol/L,医师诊断为糖尿病。患者自己感觉无其他异常,拒绝药物治疗。日后饮食仍如常,喝酒和饮食亦毫无节制。1年后患者突发昏迷伴高热,家人将其送到医院,医师诊断为糖尿病昏迷,急诊抢救。

糖尿病是一种以慢性血糖水平增高为特征的代谢性疾病，由胰岛素分泌和(或)作用缺陷引起，可导致眼、肾、神经、心脏、血管等组织器官的慢性病变、功能减退甚至衰竭，使患者生活质量降低、寿命缩短，病死率高。

1. 病因

糖尿病是复合病因引起的综合征，是遗传、环境、饮食、胰腺疾病等多种因素共同作用的结果。

2. 临床表现

糖尿病代谢紊乱征候包括：乏力、消瘦、易饥、多饮、多食、多尿和体重减轻。

许多患者无任何症状，仅见于健康检查或因各种疾病就诊化验时发现高血糖。

症状严重者可发生昏迷。

3. 并发症

糖尿病急性并发症表现为：糖尿病酮症酸中毒、高血糖高渗状态、感染等慢性并发症；大血管病变；微血管病变；神经系统并发症；糖尿病足等。

4. 预防与治疗

提倡合理膳食，经常运动，防止肥胖，控制饮酒。应在糖尿病专科医师指导下进行规范化治疗。

四、胆石症

【案例介绍】 某女，45 岁，油腻餐后 1 小时突发右上腹剧烈疼痛，伴后背部疼痛。至医院急诊，B 超检查提示为结石性胆囊炎，住院手术治疗。

胆石症包括发生在胆囊和胆管的结石，是常见病、多发病。按其组成成分不同，分为 3 类：胆固醇结石、胆色素结石和混合型结石。胆囊结石多为胆固醇结石、混合型结石，胆管结石多为胆色素(泥沙型)结石。

1. 病因

胆固醇代谢紊乱、饮食不当、遗传、胆囊张力降低、胆道感染等因素使胆汁的成分和理化性质发生了改变,导致胆汁中的胆固醇呈过饱和状态,易于沉淀析出结晶而形成结石。

2. 临床表现

(1) 消化不良:进食油腻食物后,出现上腹部或右上腹隐痛不适、腹胀,伴嗳气、呃逆等,常被误诊为胃病。

(2) 胆绞痛:上腹部或右上腹阵发性疼痛,可向肩胛部或背部放射,还多伴有恶心、呕吐。

(3) 其他:胆源性胰腺炎、胆石性肠梗阻、胆囊癌变等。

3. 预防与治疗

避免经常进食过于油腻的食物和甜食,避免长期不吃早餐、过于肥胖等情况。

五、尿路结石

【案例介绍】 某男,34 岁,运动后突发左侧腰部及左下腹剧痛并有恶心呕吐症状,遂到医院就诊。行 B 超检查发现左肾有小结石及肾盂积水,化验尿常规为血尿,诊断为左肾、输尿管结石,经治疗痊愈。

泌尿系结石俗称尿结石,按照结石存在部位分为肾结石、输尿管结石、膀胱结石和尿道结石。

1. 病因

真正病因不完全清楚。目前认为与饮水少、蛋白质摄入过多、泌尿系统感染、遗传、长期卧床、输尿管梗阻及疾病因素有关,如甲状旁腺功能亢进、肾小管酸中毒、海绵肾、痛风、异物、长期卧床和感染等。大多数结石含钙质。

2. 临床表现

肾和输尿管结石的主要表现为突发疼痛，大多数在活动后突发，有的可有血尿（大部分显微镜下血尿），结石引起输尿管完全梗阻时，会出现剧烈难忍的腰背部疼痛，常伴大汗、恶心呕吐。

膀胱结石和尿道结石的典型症状为排尿突然中断，并有疼痛感伴尿频、尿急。

3. 预防方法

（1）一般预防方法：根据病因预防，如大量饮水、改变饮食习惯等。

（2）特殊预防方法：去除结石形成病因，定期行 X 线或 B 超检查，观察有无复发。

六、艾滋病

【案例介绍】 某男，32 岁，南方某市人，私营业主。近 1 周来出现阵发性、较剧烈咳嗽，并咳出大量白痰，伴胸闷、气急，食欲差、消瘦，体重下降 5 kg，有盗汗和发热症状，体温 38 ℃左右，近日病情有加重趋势，遂到医院就诊，全胸片示两肺感染，收住院治疗，两天后诊断为艾滋病。

艾滋病是获得性免疫缺陷综合征的简称，是由人体免疫缺陷病毒引起的慢性致命性传染病。病毒主要存在于患者和无症状病毒携带者的血液、精子、子宫和阴道分泌物中，其他体液如唾液、眼泪和乳汁中亦含有病毒，均具有传染性。

1. 传播途径

（1）性接触传播。

（2）注射途径传播。

（3）母婴传播。

（4）其他途径包括使用病毒携带者的器官进行移植，人工受精等。此外，医护人员被污染的针头刺伤或破损皮肤受污染等也会被感染。

2. 临床表现

艾滋病毒潜伏期较长,一般认为2~10年可发展为艾滋病。

艾滋病可表现为:体质性症状,即发热、乏力、盗汗、厌食、体重下降、慢性腹泻和易感冒等;神经系统症状,出现头痛、典型进行性痴呆、下肢瘫痪等;严重的临床免疫缺陷,出现各种机会性病原体感染;因免疫缺陷而继发肿瘤,或免疫缺陷并发的其他疾病。

3. 预防方法

(1) 控制传染源:患者及无症状病毒携带者应注意隔离。

(2) 切断传播途径:严禁毒品注射,取缔娼妓,禁止性乱交,严格控制检查血液制品,推广一次性注射器的使用。

(3) 保护易感人群:加强公用医疗器械和公用生活用品消毒。

七、肿瘤

【案例介绍】 某男,42岁,上腹部隐痛不适2月余,食欲尚好,因工作繁忙未重视。近2周症状较前严重,并出现消瘦,经医院检查,诊断为胃癌,住院治疗。

肿瘤是一类常见病、多发病,其中恶性肿瘤是目前危害人体健康的最严重的一类疾病。

我国最为常见和危害性最严重的恶性肿瘤按照死亡率由高到低排列为胃癌、肝癌、肺癌、食管癌、肠癌等。

肿瘤从本质上来说是基因病。各种环境和遗传的致癌因素都可能引起细胞DNA损害,使细胞发生转化。

1. 环境致癌因素

(1) 化学致癌因素:亚硝胺类物质、真菌毒素、金属元素等。

(2) 物理致癌因素:X射线、γ射线、紫外线照射及各种放射性同位素辐射。

（3）生物致癌因素：病毒和细菌致癌。

（4）遗传因素。

（5）不良生活方式（生活方式癌）：不良生活方式会导致原癌基因激活和抗癌基因丢失而发生癌症。

① 饮食与癌：多盐饮食易引起胃黏膜损伤发生胃癌；焦枯食物可产生致胃癌的亚硝胺；食用霉变食物易发生肝癌；长期食用油腻食物易引起肠癌、乳腺癌；偏食动物类食物易致胰腺癌、前列腺癌。

② 吸烟与癌：吸烟易导致肺癌。

③ 性格与癌：有人说性格内向易患胃癌，脾气暴躁易患肝癌，这虽没有严格的研究定论，但人的精神情绪状态与癌症发病的关联性还是受到人们的关注。

2. 临床表现

肿瘤的良、恶性的不同，对机体的影响也不同。

（1）良性肿瘤：分化成熟，生长缓慢，停留于局部，不转移，一般对机体影响较小，主要表现为局部压迫和阻塞症状。

（2）恶性肿瘤：分化不成熟，生长迅速，浸润破坏器官的结构和功能，发生转移后对机体影响严重。除局部症状外，可导致机体严重消耗，出现消瘦、无力、贫血和全身衰竭症状。

3. 预防方法

应针对化学、物理、生物及不良生活方式等具体致癌、促癌因素和体内外致病条件，采取相应的预防措施，加强环境保护，适当饮食、适当锻炼，改变不良生活方式，增进身心健康，减少肿瘤发病率。

（张利远　周文琴）

下篇

急救知识与技能

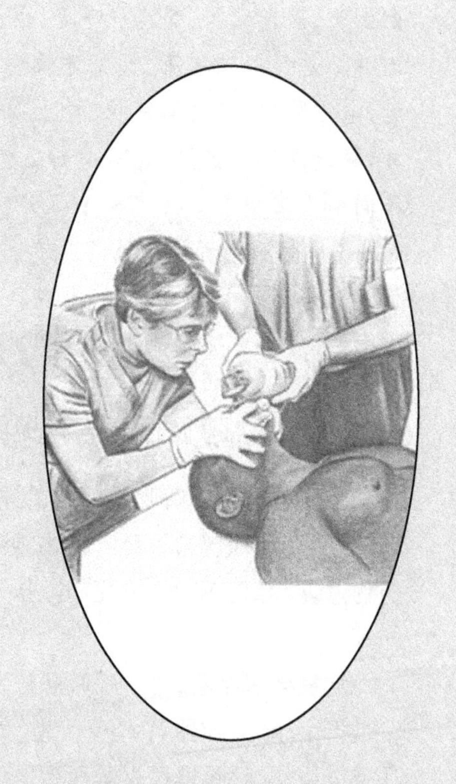

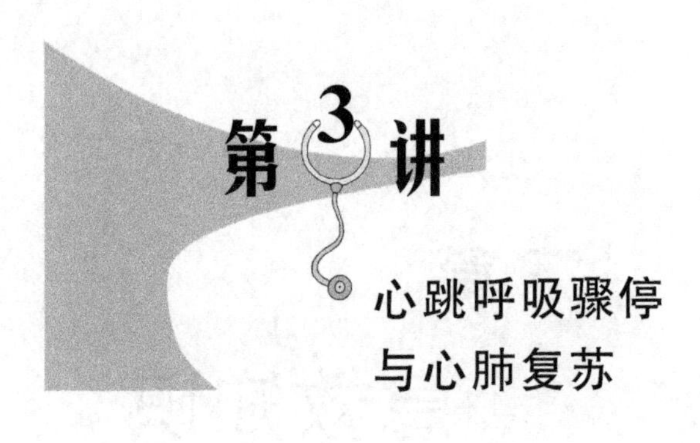

第3讲 心跳呼吸骤停与心肺复苏

【案例介绍】 患者，男，25岁，某中学班主任，在上课时突然倒下，面色紫绀，叹息样呼吸，小便失禁，颈动脉搏动消失。立即就地进行心脏按压，人工呼吸。随即转入急诊抢救室气管插管，电击除颤，采取脑保护、肾上腺素等复苏常规药物应用等措施；继续人工心脏按压，40分钟后仍无心搏和呼吸；不放弃，轮流不间断人工胸外心脏按压 ；67分钟后，患者恢复了心脏自主跳动；13小时后患者神志转清。追问病史，患者2周前患感冒，当天下午感到胸闷不适，尚能坚持，一直上班，未就医。后患者住院16天痊愈出院，2个月后返回工作岗位。

一、心跳呼吸骤停的常见原因

临床上造成心跳呼吸骤停的原因很多，如严重创伤、各种休克、酸碱失衡、电解质紊乱、植物神经反射异常、溺水窒息、中风、药物过量、心脏病发、失血、电击、一氧化碳中毒、手术麻醉意外等。

从发生机制看，心跳呼吸骤停大致分为原发、继发两类。原发是指由于心、肺器官本身疾患，如心肌梗死、冠心病、肺梗死、呼吸道烧伤、呼吸道梗阻等所致。继发是指心、肺器官本身是正常的，但由于其他部位或器官的疾患引发全身病理改变而发生心跳、呼吸骤停，如严重创伤、电击、溺水、休克、中毒、酸碱失衡、电解质紊乱、植物神经失调等。但无论出自何种原因均由于直接或间接引起冠脉灌注量减少、心律失常、心肌收缩力减弱或心排血量下降等机制而致。

二、心跳呼吸骤停的判断

心跳呼吸骤停者应立即抢救，判断准确是抢救成功的关键。判断的指标为：

(1) 突然丧失意识，昏倒，呼之不应。

(2) 停止呼吸或濒死样呼吸。

(3) 大动脉（颈动脉或股动脉）搏动消失（专业人员判断）。

对心跳呼吸骤停的判断不能占用很长时间，应在10秒内完成。若判断为心跳呼吸骤停，应该立即实施心肺复苏术（CPR）。

三、心肺复苏术（CPR）

医学上心肺复苏术（CPR）的三要素是指：心脏按压；电击除颤；人工呼吸。CPR九步标准操作法如下：

第1步 评估环境

进行心肺复苏前应评估现场环境是否安全，确保现场不会威胁到抢救人员的安全，防止如建筑物倒塌、塌方、泥石流、雪崩、山洪暴发等造成新的伤害。

第2步 判断（见图3-1）

(1) 意识丧失：拍患者肩部，分别对双耳呼喊："喂！你怎么啦?"

(2) 呼吸停止：胸廓无起伏。

(3) 面色苍白或者紫绀。

第3步 呼救启动EMSS（见图3-1）

（医院外）立即呼救："请拨打120。"

（医院内）立即呼救："启动应急程序，推抢救车、除颤仪。"

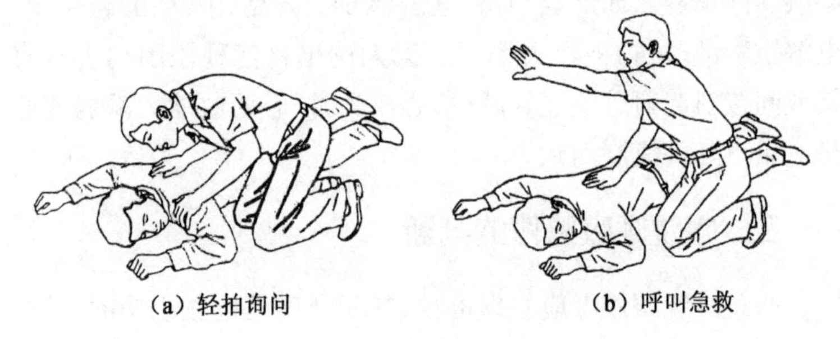

（a）轻拍询问　　（b）呼叫急救

图 3-1　急救前的意识判断

第 4 步　安置体位（见图 3-2）

（1）置患者于仰卧位（背后硬质），解开患者上衣，暴露前胸。

（2）医生处于抢救的正确位置：位于患者右侧，左大腿外侧与患者右肩相平，按压时不得移步。

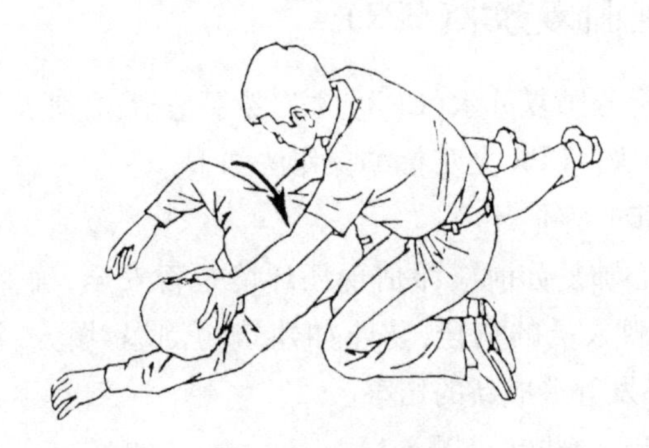

图 3-2　体位放置

第 5 步　胸外心脏按压（见图 3-3）

（1）定位正确：胸骨中下 1/3 处。

（2）按压手法、姿势正确：左手贴胸骨中下 1/3 处，右手贴左手手背，十指分开相扣，掌心手指翘起，两手臂伸直，用上半身重力垂直下压。

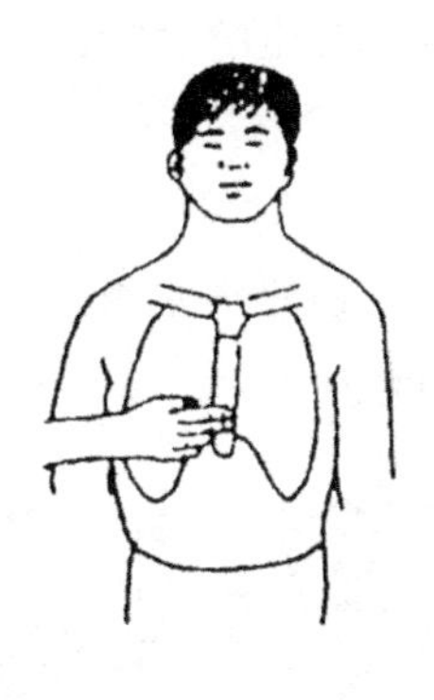

(a) 按压位置

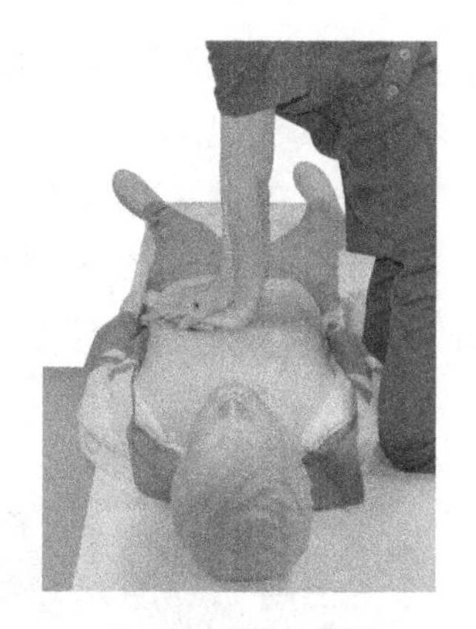

(b) 按压姿态（侧视）

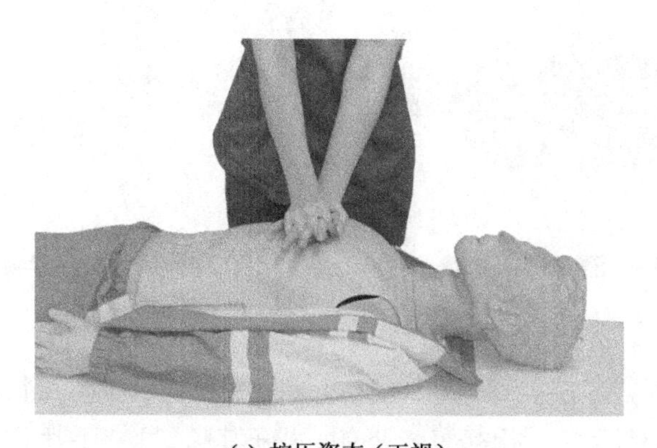

(c) 按压姿态（正视）

图 3-3　胸外心脏按压

（3）按压深度为 5 ~ 6 cm，每一次按压后要让胸廓充分回弹。

（4）按压频率为 100 ~ 120 次/分，胸部按压和放松的时间大致相等。

（5）胸外按压与通气（人工呼吸）次数比例为 30∶2。

（6）当有两名或以上施救者在场时，应每 2 分钟（或者在每 5 个 30∶2 的按压通气比例循环进行后）就轮换一次，以保证按压的质量。特别强调持续按压,为减少胸外按压的中断,每次轮换应在5秒内完成。

第6步 开放气道(见图3-4、3-5)

在做人工呼吸前,要先清理患者口腔及咽部堵塞物,使患者仰卧,并将患者的头尽量后仰,使呼吸道伸展。

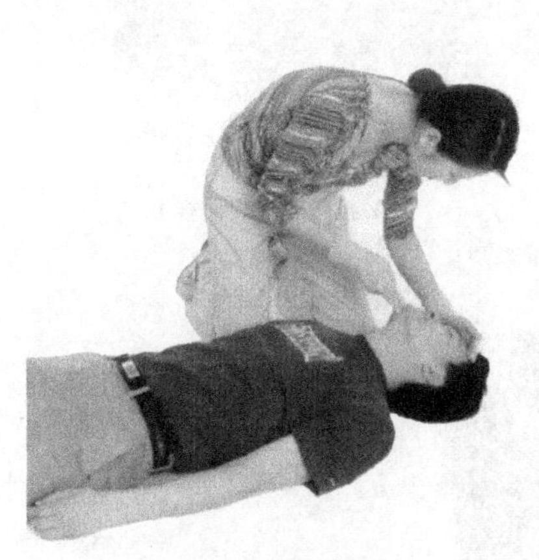

图3-4 通畅气道体姿

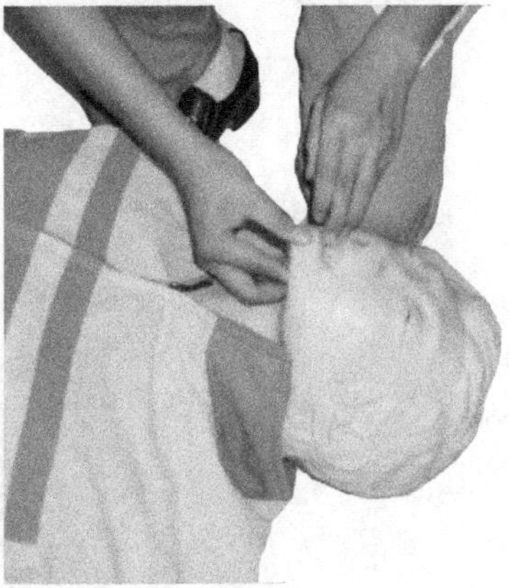

图3-5 清除口腔异物

第7步 人工呼吸(见图3-6)

救护者站(跪)在患者一侧(可能时用手帕或纱布盖住患者的口鼻),然后一手托起患者下颌,张开其嘴,另一手捏住其鼻孔,救护者深吸气后,快速向患者口中吹气。患者胸部扩张后,停止吹气,并放松捏鼻子的手,待胸部自然回缩,再做第二次。以每分钟吹气8~10次(小儿可稍增加几次)的速度重复进行,直到患者恢复自然呼吸。

这是一种很有效的急救方法,因为当救护人员深呼吸时,呼出的气中氧可达18%,二氧化碳仅占2%,只要保证每次吹入1 L气体,便可以使患者肺里的氧气量基本维持正常。

胸外按压通气(人工呼吸)比例为30∶2,吹气在6~8秒内完成,吹气后继续胸外按压。

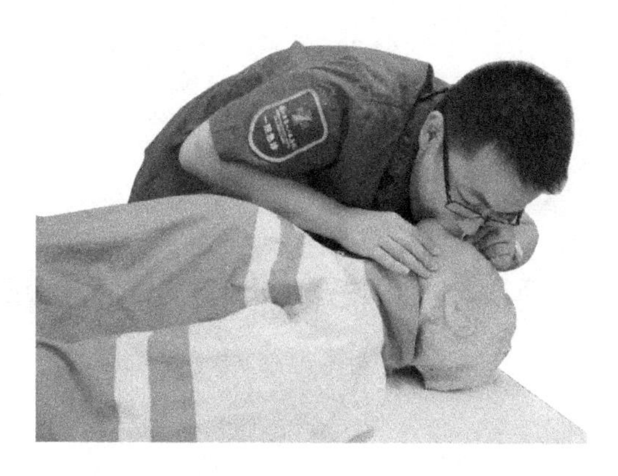

图 3-6　人工呼吸

第 8 步　再评估

完成 1 个周期的胸外按压 + 人工呼吸(5 次循环)后进行心肺复苏的评估,方法是“一摸三看”:摸颈动脉,看面色、呼吸、瞳孔。然后确定是否继续心肺复苏。

第 9 步　结束

关爱患者:整理患者衣服。

四、复苏有效的判断指标

人工呼吸有效的指标是:① 胸廓有起伏;② 鼻腔有气流通过(有呼气)。心脏按压有效的指标是:① 按压后患者面色、口唇、甲床及皮肤等色泽变红(非专业人员判断);② 颈动脉等大动脉处可扪及搏动(专业人员判断);③ 能测出血压(专业人员判断);④ 散大的瞳孔开始缩小(专业人员判断),甚至出现自主呼吸,说明脑灌注已经重建。

> 本案例为心搏呼吸骤停(猝死),与两周前感冒导致的病毒性心肌炎有关,幸亏在现场进行心脏按压,抢救及时,使患者获得第二次生命。

(余湛　张利远)

第4讲 急性心肌梗死的急救

【案例介绍】 某教师,65 岁,近 1 周来,左胸部间断性疼痛,持续 1~2 分钟,与劳累、情绪等有关。20 分钟前因情绪急躁突发左前胸剧烈疼痛,到医院急诊检查,医师诊断为急性心肌梗死,立即住院抢救。

急性心肌梗死是指因持久而严重的心肌缺血所致的部分心肌急性坏死。临床表现常有持久的胸骨后剧烈疼痛、急性循环功能障碍、心律失常、心功能衰竭、发热、白细胞计数和血清心肌坏死标记物增高,以及心肌急性损伤与坏死的心电图进行性改变。

一、病因及诱发因素

基本病因是冠状动脉粥样硬化,偶为冠状动脉栓塞、炎症、先天性畸形、痉挛和冠状动脉口阻塞,造成一支或多支血管管腔狭窄和心肌供血不足,而侧支循环未充分建立。在此基础上,一旦心肌供血急剧减少或中断,使心肌严重而持久地急性缺血达 20~30 分钟以上,即可发生急性心肌梗死。

凡是能增加心肌耗氧量或诱发冠状动脉痉挛的体力或精神因素都可能引起心肌梗死,具体诱发因素如下:

(1) 晨起 6 时至 12 时交感神经活动增加,机体应激反应性增强,心肌收缩力、心率、血压增高,冠状动脉张力增高。

(2) 血液流变学异常:在饱餐特别是进食多量脂肪后,血脂增高,血黏稠度增高。

(3) 心排血量骤降:休克、脱水、出血、外科手术或严重心律失常致心排血量骤降,冠状动脉灌流量锐减。

(4) 心肌需氧量骤增:重体力活动、血压升高或情绪激动致左心室负荷明显增加,儿茶酚胺分泌增多,心肌需氧量骤增,冠状动脉供血明显不足,导致心肌细胞缺血、坏死。

二、临床表现

1. 先兆症状

约 2/3 急性心肌梗死患者在发病前数天有先兆症状,最常见为心绞痛,其次是上腹疼痛、胸闷憋气、上肢麻木、头晕、心慌、气急、烦躁等。其中一半心绞痛为初发型心绞痛,另一半为原有心绞痛,突然发作频繁或疼痛程度加重、持续时间延长,诱因不明显,硝酸甘油疗效差,同时心电图示 ST 段一时性明显抬高(变异型心绞痛)或压低,T 波倒置或增高,这时应警惕近期内发生心肌梗死的可能。发现先兆,及时积极治疗,可使部分患者避免发生心肌梗死。

2. 症状

(1) 疼痛。疼痛是最先出现和最突出的症状,部位主要在胸骨体中段或上段之后,可波及心前区,常放射至左肩、左臂内侧达无名指和小指,或至颈、咽、下颌部。疼痛性质为压迫、发闷或紧缩性疼痛,也可有烧灼感,常伴有烦躁不安、出汗、恐惧、胸闷或有濒死感,持续时间较长,可达数小时或更长,休息和含服硝酸甘油一般不能缓解。

少数患者无疼痛,而是以心功能不全、休克、猝死及心律失常等为首发症状。无疼痛症状也可见于以下情况:患有糖尿病的患者；老年人；手术麻醉恢复后发作急性心肌梗死者；伴有脑血管病的患者；脱水、酸中毒的患者。

(2) 全身症状。主要是发热，伴有心动过速、白细胞增高和红细胞沉降率增快等，由坏死物质被吸收引起。一般在疼痛发生后24～48小时出现，程度与梗死范围常呈正相关，体温一般在38 ℃左右，很少超过39 ℃，持续约1周。

(3) 胃肠道症状。疼痛剧烈时常伴有频繁的恶心、呕吐和上腹胀痛，与迷走神经受坏死心肌刺激和心排血量降低、组织灌注不足等有关。肠胀气亦不少见，重症者可发生呃逆。

(4) 心律失常。75%～95%的患者出现心律失常，多发生在起病1～2天，而以24小时内最多见，可伴乏力、头晕、昏厥等症状。室性心律失常最为多见，尤其是室性期前收缩，若室性期前收缩频发(每分钟5次以上)，成对出现或呈短阵室性心动过速，多源性或落在前一心搏的易损期(R在T波上)时，常预示即将发生心室颤动。室颤是急性心肌梗死早期，特别是入院前的主要死因。各种程度的房室传导阻滞和束支传导阻滞也较多见，严重者可为完全性房室传导阻滞。室上性心律失常则较少见，多发生在心力衰竭患者中。前壁心肌梗死易发生室性心律失常，下壁心肌梗死易发生房室传导阻滞。前壁心肌梗死若发生房室传导阻滞时，说明梗死范围广泛，且常伴有休克或心力衰竭，故情况严重，预后较差。

(5) 低血压和休克。疼痛期中常见血压下降，若无微循环衰竭的表现仅能称之为低血压状态。

(6) 心力衰竭。主要是急性左心衰竭，可在起病最初几天内发生，或在疼痛、休克好转阶段出现，为梗死后心肌收缩力明显减弱，心室顺应性降低和心肌收缩不协调所致，发生率约为32%～48%。

3. 体征

梗死范围不大并且无并发症者常无异常体征，而左室心肌

细胞不可逆性损伤 >40% 的患者常发生严重左心衰竭、急性肺水肿和心源性休克。

（1）心脏体征：主要取决于心肌梗死范围及有无并发症。梗死范围不大，无并发症时可无阳性体征。

（2）血压：除极早期血压可增高外，几乎所有患者都有血压降低症状。起病前有高血压者，血压可降至正常，且可能不再恢复到起病前的水平。

（3）其他：可有与心律失常、休克或心力衰竭相关的其他体征。

三、急救方法

1. 医院外的紧急处理

若身边无救助者，患者本人应立即拨打 120 急救电话。在救援到来之前，可深呼吸，然后用力咳嗽，这是有效的自救方法。

作为目击者，发现他人突发心肌梗死情况，应该保持镇定，果断急救：

（1）拨打 120：尽快与医院、急救站联系，请医生速来抢救或送医院抢救。

（2）就地平卧：立即让患者就地平卧，双脚稍微抬高。搬运患者应使用担架，保持平抬状态，切勿用背、抱等方式随意搬动患者。

（3）镇静：立即自服或由他人给患者舌下含服硝酸甘油 1 片，口服 300 mg 阿司匹林，同时口服 1 ~ 2 片安定，使患者镇静下来。周围的人应保持安静，不要大声说话。

（4）吸氧：如有供氧条件，应立即给予吸氧。

（5）人工呼吸：如患者脉搏、心跳突然消失，应立即进行心前区叩击。抢救者左手握拳，向患者左前胸猛然叩击数下，目的是刺激心脏起搏，恢复收缩功能。若无效，则立即进行胸外心脏按压和口对口人工呼吸，直至医生到来。

2. 入院后的处理

（1）监护和一般治疗：急性期卧床休息，保持环境安静；吸氧；持续心电监护，观察心率、心律变化及血压和呼吸的变化，低血压、休克患者必要时监测肺毛细血管压和静脉压。建立静脉通道，保持给药途径畅通。

（2）解除疼痛：哌替啶 50 ~ 100 mg 肌内注射或吗啡 5 ~ 10 mg 皮下注射，必要时 1 ~ 2 小时后再注射一次，注意防止对呼吸功能的抑制。

（3）再灌注心肌：再灌注治疗是急性 ST 段抬高型心肌梗死最主要的治疗措施。在发病 12 小时内开通闭塞冠状动脉，恢复血流，可缩小心肌梗死面积，减少死亡。

① 介入治疗（PCI）

在有急诊 PCI 条件的医院，在患者到达医院后 90 分钟内能完成第一次球囊扩张的情况下，均应对所有发病 12 小时以内的急性 ST 段抬高型心肌梗死患者进行直接 PCI 治疗，球囊扩张使冠状动脉再通，必要时置入支架。急性期只对梗死相关动脉进行处理。对心源性休克患者不论发病时间都应行直接 PCI 治疗。

② 溶栓治疗

如无急诊 PCI 治疗条件，或不能在 90 分钟内完成第一次球囊扩张时，若患者无溶栓治疗禁忌证，对发病 12 小时内的急性 ST 段抬高型心肌梗死患者应进行溶栓治疗。常用溶栓剂包括尿激酶、链激酶和重组组织型纤溶酶原激活剂（rt-PA）等，静脉滴注给药。溶栓治疗的主要并发症是出血，最严重的是脑出血。溶栓治疗后仍宜转至有 PCI 条件的医院进一步治疗。非 ST 段抬高型心肌梗死患者不应进行溶栓治疗。

（4）消除心律失常：心律失常必须及时消除，以免演变为严重心律失常甚至猝死。

（5）控制休克：根据休克纯属心源性，或尚有周围血管舒缩障碍，或血容量不足等因素，进行分别处理。

（6）治疗心力衰竭：主要是治疗急性左心衰竭，以应用吗啡（或哌替啶）和利尿剂为主，亦可选用血管扩张剂减轻左心室的负荷。

四、预防

1. 一级预防

一级预防即预防动脉粥样硬化和冠心病。

（1）健康教育：对整个人群进行健康知识教育，提高公民的自我保健意识，避免或改变不良习惯，如戒烟、注意合理饮食、适当运动、保持心理平衡等，从而减少冠心病的发生。

（2）控制高危因素：针对冠心病的高危人群，如高血压病、糖尿病、高脂血症、肥胖、吸烟及有家族史等情况，给予积极处理。处理方法包括选用适当药物持续控制血压、纠正血脂代谢异常、戒烟限酒、适当体力活动、控制体重、控制糖尿病等。

2. 二级预防

已有冠心病和心肌梗死病史者还应预防再次梗死和其他心血管事件。冠心病患者的二级预防内容包括两个方面：

（1）包含了一级预防的内容，即要控制好各种冠心病的危险因素；

（2）采用已经验证过有效的药物，预防冠心病的复发和病情加重。

本案例为因情绪急躁诱发急性心肌梗死，由于及时就诊，心脏科介入治疗（心脏血管内置入支架）成功。

凡是有胸闷、胸痛不适等症状时，应及时诊疗。已经诊断为冠心病的患者需要定期到医院检查。

（翟明之）

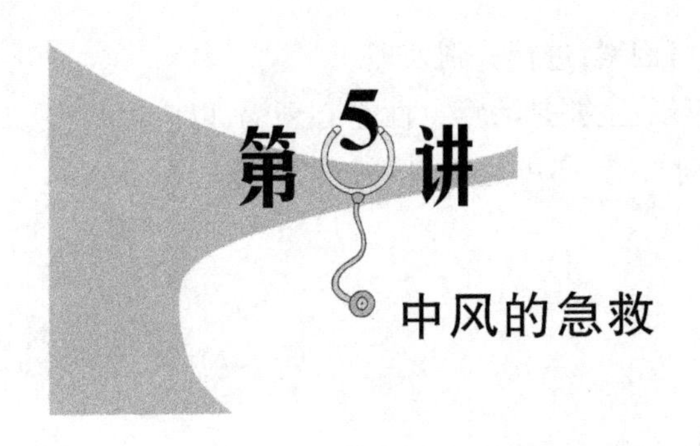

【案例介绍】 某学校保安,56岁,有高血压病史10年,未规律服药治疗,1小时前情绪激动后突然出现头痛伴左侧肢体无力,不能行走,言语不清,遂被人送到医院抢救室,到医院后测血压220/125 mmHg,查头颅CT,被诊断为脑溢血(中风),立即住院治疗。

脑血管疾病是指由各种原因导致的急慢性脑血管病变。其中,中风或称脑卒中、脑血管意外,是指由于急性脑循环障碍所致的局部或全面性脑功能缺损综合征。根据病理性质,脑卒中又分为出血性脑卒中和缺血性脑卒中。

一、出血性脑卒中(脑溢血)

出血性脑卒中又称颅内出血,是脑卒中的常见形式。虽然其发病率低于缺血性脑卒中,但预后差,死亡率和病残率均高于缺血性脑卒中。颅内出血占所有脑卒中的10%~15%(在亚洲占30%)。

1. 病因

颅内出血病例中大约60%是因高血压合并小动脉硬化所致,约30%由动脉瘤或动-静脉血管畸形破裂所致,其他病因包括脑动脉粥样硬化、脑血管淀粉样变性等。多数患者发病前有明显诱因，如剧烈运动、过度疲劳、用力排便、情绪激动等。

2. 临床表现

（1）一般表现：颅内出血的好发年龄为50～70岁，男性患者稍多于女性，冬春两季发病率较高，多有高血压病史。多在情绪激动或活动中突然发病，发病后病情常于数分钟至数小时内达到高峰。颅内出血患者发病后多有血压明显升高现象。由于颅内压升高，患者常有突然肢体活动不便，头痛、呕吐和不同程度的意识障碍，如嗜睡或昏迷等，大约10%的病例有抽搐发作。

（2）局限性定位表现取决于出血量和出血部位

① 基底节区出血：包括壳核出血（最常见）、丘脑出血等。常见症状包括病灶对侧偏瘫、偏身感觉障碍和同向性偏盲。优势半球受累可有失语。

② 脑桥出血：大量出血患者迅速出现昏迷、双侧针尖样瞳孔、呕吐咖啡样胃内容物、中枢性高热等表现；小量出血可无意识障碍，表现为交叉性瘫痪和共济失调性偏瘫。

③ 小脑出血：常见头痛、呕吐、眩晕和共济失调明显。出血量少者主要表现为小脑受损症状，如患侧共济失调、眼震和小脑语言等，多无瘫痪。出血量多者可表现为突然昏迷及枕骨大孔疝。

④ 脑室出血：常见头痛、呕吐，严重者出现意识障碍如深昏迷、脑膜刺激征、针尖样瞳孔、高热等症状。

二、缺血性脑卒中（脑梗死）

缺血性脑卒中又称脑梗死，是指各种原因所致脑部血液供应障碍，导致脑组织缺血、缺氧性坏死，出现相应神经功能缺损。缺血性脑卒中是脑血管疾病中最常见的类型，约占全部病例的70%。依据缺血性脑卒中的发病机制和临床表现，通常将其分为脑血栓形成、脑栓塞、腔隙性脑梗死。

1. 病因

脑血栓形成的病因为动脉粥样硬化和动脉炎。脑栓塞的病因为心源性和非心源性栓子。腔隙性脑梗死的病因为高血压、动脉粥样硬化和微栓子等。

2. 危险因素

(1) 高血压:高血压被认为是缺血性脑卒中的主要危险因素,无论收缩压和(或)舒张压、脉压、平均动脉压增高,都会增加脑梗死的发病率。

(2) 糖尿病:糖尿病已成为继高血压之后常见的脑梗死的独立危险因素。此外,糖尿病常合并心、肾功能异常,也是增加脑卒中的危险因素。

(3) 心脏病:心脏病是另一重要危险因素。心脏病(如风湿性心脏病、冠心病、心功能衰竭、房颤等)特别是伴心律失常或心肌梗死,为缺血性脑卒中的危险因素。

(4) 高脂血症:脑血管病患者由于种种原因出现脂质代谢异常,过量的脂质沉着在动脉内膜及内膜下,同时伴有平滑肌细胞的增殖和炎性细胞的浸润,形成纤维脂质斑块或粥样病灶,导致动脉壁增厚、血管变硬、管腔狭窄,严重时局部斑块内膜坏死、脱落,血栓形成、血管腔堵塞,进而发生脑血管意外。

(5) 吸烟:吸烟量越大,吸烟时间越长,脑卒中的发病率和病死率越高,而且长期被动吸烟也可增加脑卒中的发病危险。

(6) 饮酒:饮酒与脑卒中的关系研究表明,出血性脑卒中的发病危险性随饮酒量的增加而增加;而对缺血性脑卒中的研究表明,小量至中量饮酒能降低其发病率,大量饮酒能使其危险性增加。

(7) 肥胖:肥胖为脑卒中患者的常见体型,与不肥胖的人相比,向心性肥胖者有更高的动脉粥样硬化的风险。近年有几项大型研究显示,腹部肥胖比均匀性肥胖与脑卒中的关系更为密切。

3. 临床表现

(1) 脑血栓形成

① 一般特点:动脉粥样硬化性脑卒中多见于中老年,动脉炎性脑卒中多见于中青年,常在安静或睡眠中发病,部分患者有短暂性脑缺血发作(TIA)前驱症状,如肢体麻木、无力等,局灶性体征多在发病后10余小时或1~2日达到高峰,临床表现取决于梗死灶的大小和部位。

② 不同脑血管闭塞的临床特点

a. 颈内动脉闭塞:严重程度差异较大,主要取决于侧支循环状况。可出现单眼一过性黑蒙,偶见永久性失明(视网膜动脉缺血)或Horner征(颈上交感神经节后纤维受损)。

b. 大脑中动脉闭塞:主干闭塞导致三偏症状,即病灶对侧偏瘫、偏身感觉障碍及对侧同向性偏盲,可伴有双眼向病灶侧凝视,优势半球受累出现失语,非优势半球受累出现体像障碍,患者可出现意识障碍。

c. 椎-基底动脉闭塞:基底动脉或双侧椎动脉闭塞是危及生命的严重脑血管事件,可引起脑干梗死,出现眩晕、呕吐、四肢瘫痪、共济失调、肺水肿、消化道出血、昏迷和高热等。脑桥病变出现针尖样瞳孔。

(2) 脑栓塞

① 一般特点:可发生于任何年龄,以青壮年多见。多在活动中急骤发病,无前驱症状,局灶性神经体征在数秒至数分钟达到高峰,多表现为完全性卒中。有些患者同时并发肺栓塞(气急、发绀、胸痛、咯血和胸膜摩擦音等)、肾栓塞(腰痛、血尿等)、肠系膜栓塞(腹痛、便血等)和皮肤栓塞(出血点或瘀斑)等疾病。意识障碍有无取决于栓塞血管的大小和梗死的面积。

② 血管栓塞的临床表现:不同部位血管栓塞会造成相应的血管闭塞综合征,详见脑血栓形成部分。

（3）腔隙性脑梗死

① 一般特点：多见于中老年患者，男性较多见，半数以上病例有高血压病史，突然或逐渐起病，出现偏瘫或偏身感觉障碍等局灶症状。通常症状较轻，体征单一，预后较好，一般无头痛、颅内高压和意识障碍表现。

② 常见的腔隙综合征：纯运动性卒中患者表现为面、舌、肢体不同程度瘫痪，而无感觉障碍、视野缺失、失语等；纯感觉性卒中患者偏身感觉缺失，可伴感觉异常，如麻木、发冷、发热、针刺、疼痛、肿胀、变大、变小或沉重感等。

三、急救方法

1. 医院外紧急处理

急救的目的是保住患者生命，降低失语、偏瘫的残疾率。当发现患者摔倒在地、昏迷、呕吐、偏瘫、过去有高血压史，怀疑脑中风，按下列原则急救：

（1）拨打120：尽快与医院、急救站联系，请医生速来抢救或送医院抢治。

（2）就地平卧：立即让患者就地平卧，头侧向一边，保持呼吸道通畅，避免将呕吐物误吸入呼吸道，造成窒息。切忌用毛巾等物堵住口鼻，妨碍呼吸。搬运患者应使用担架，保持平抬状态，切勿用背、抱等方式随意搬动患者。

（3）吸氧：如有供氧条件，应立即给予吸氧。血压显著升高但神志清醒者可给予口服降血压药物。

（4）守候在患者身旁：一旦发现呕吐物阻塞呼吸道，采取各种措施使呼吸道畅通，可用手掏取。呼吸停止时进行口对口人工呼吸。

（5）等医生到来立即送医院进行CT检查，区分脑中风的类型，针对病因进一步治疗。

2. 入院后的处理

（1）一般治疗：急性期卧床休息，保持环境安静；给予镇静、止痉和止痛药；头部降温；调整血压；降低颅内压；注意补充热量和水、电解质及酸碱平衡；防治并发症。

（2）特殊治疗

① 缺血性脑卒中：包括超早期溶栓治疗、抗血小板治疗、抗凝治疗、血管内治疗、细胞保护治疗和外科治疗等。

② 出血性脑卒中：轻型脑出血内科保守治疗效果尚好，故一般采用内科保守治疗。而病情严重、出血迅速、出血量在60 mL以上者，因预后不好，手术治疗危险性大，也不适合手术治疗。脑出血的手术适应证如下：中等量脑出血，经保守治疗病情逐渐加重者；小脑出血，保守治疗效果不佳者；蛛网膜下腔出血，病情稳定后，经脑血管造影检查，证实为动脉瘤或脑血管畸形者，手术治疗可防止再出血。

四、预防

加强脑卒中的三级预防可进一步提高居民（特别是高危患者）对脑卒中等慢性病的防治水平和能力，逐步降低社区人群中主要危险因素水平，减少脑卒中发病、患病、残疾和死亡人数。

1. 一级预防

通过对高危致病因素的干预，降低疾病的发病率。脑卒中一级预防的重点是对高血压人群的监控和改变居民不健康的生活方式。

（1）对高血压人群的监控与管理

① 所有高血压患者都应该坚持测血压，规范使用降压药物，使血压控制在理想水平（140/90 mmHg）以下；② 对二级高血压患者，加大监控力度，做到每周1次随访，并随时调整治疗方案；③ 对三级高血压患者，经正规服药后仍不能控制良好者，尽量到

医院住院,通过个性化的治疗措施使血压达标;④ 对35岁以上人群进行首诊测血压,如发现新发高血压患者,即纳入监控与管理对象范围。

(2) 建立健康的支持性环境

改变单纯强调健康教育的工作模式,把创建健康的支持性环境和条件作为干预的主要目标之一。这主要通过医务人员深入到街道、学校、企业等长期宣传和教育来实现。特别是对一些长期患心脑血管等慢性疾病的患者,建议:① 控制总热能摄入,保持正常体重;② 控制血糖血脂;③ 戒烟;④ 生活规律化,防止情绪波动;⑤ 力争避免严重的咳嗽,防止大便秘结,节制性行为;⑥ 膳食平衡;⑦ 保持一定量的运动。

2. 二级预防

疾病发生后积极开展临床治疗,以及早期和恢复期康复,防止病情加重,预防器官或系统因伤病所致的残疾和功能障碍。

脑血管病后遗症严重影响患者的生活质量,其中以偏瘫最常见,危害最大。脑卒中发病后6个月内是患者功能康复的关键时期,干预内容包括对患者高危因素的控制,康复治疗和康复训练指导,卫生宣教和心理疏导等。同时脑卒中患者家属要密切配合接受辅导,督促患者进行每周至少3次,每次至少30~45分钟的功能训练。

3. 三级预防

对疾病后造成的残疾应积极开展功能康复,同时避免原发病的复发。康复训练是针对脑卒中后遗症致残患者功能障碍的情况采取现代康复技术和我国传统康复技术(针灸、推拿)相结合的方法。内容主要包括康复医疗、训练指导、心理疏导、知识普及、用品用具、咨询宣教等方面,以尽可能恢复或补偿患者缺损的功能,增强其参与社会生活的能力。

本案例为脑溢血，因情绪激动而诱发，患者患高血压多年，治疗不规范，到医院后测血压220/125 mmHg，抢救及时，保住了生命，但是留下左侧肢体瘫痪、言语不清的后遗症。

（翟明之）

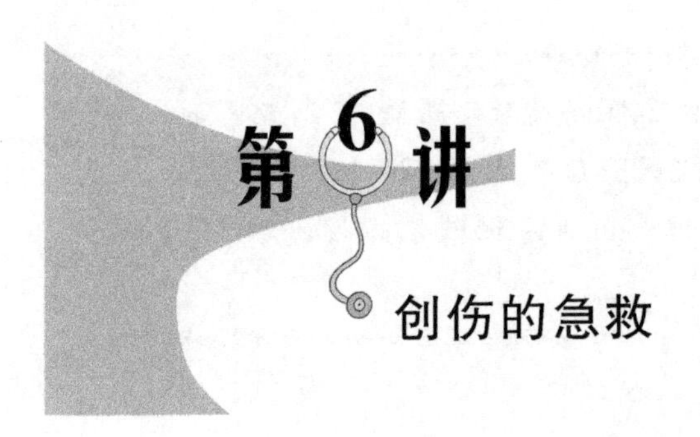

第6讲 创伤的急救

创伤广义上是指机械、物理、化学和生物等因素造成的机体损伤,狭义上是指机械性致伤因素作用于机体造成的组织结构完整性破坏和功能障碍。创伤原因复杂、多样,特别是严重创伤,由于病情重、伤情复杂,变化快、易误诊漏诊,是创伤后致死的主要原因。因此,及时、有效、准确地采取救护措施,对提高抢救成功率起着至关重要的作用。

一、伤情判断

面对突发的创伤患者,首先应及时地对伤情做出判断、分类,然后采取针对性的措施进行救治。创伤按严重程度可简单地分为3类:① 致命性创伤,如危及生命的大出血、窒息、开放性或张力性气胸,对这类伤员,只能做短时的紧急复苏,及时送医进行手术治疗;② 非致命性创作,如不会立即影响生命的刺伤、火器伤或胸腹部伤,若伤员生命体征尚平稳,可观察或复苏1~2小时后送医治疗;③ 潜在性创伤,性质尚未明确,有可能需要手术治疗,应继续密切观察,并做进一步检查。

最紧急的且急需处理的就是致命性创伤,包括心跳呼吸骤停、窒息、大出血、张力性气胸和休克等,优先解除危及伤员生命的情况,使伤情得到初步控制,并尽可能稳定伤情,为转送和后续治疗创造条件。因此在现场首先应密切观察伤情变化，做好院前抢救工作，了解致伤原因（可向现场人员询问），判断有无其他部位伤情，防止隐匿伤情继续发展，时刻密切观察伤者神志、瞳孔、血压、脉搏、呼吸、皮肤颜色、感觉、末梢血管充盈情况，发现异常及时处理。如患肢末端苍白、温度降低或不能自主活动，皮肤感觉减退或被动活动剧烈疼痛，应及时处理；如呼吸、循环异常应随时准备抢救；注意创面是否继续出血，出血量的多少等，并认真详细地做好记录，同时准备好各种抢救设备，提高患者生存质量。

二、创伤急救五大基本技能

创伤急救五大基本技能包括通气、止血、包扎、固定、搬运。如果伤者已昏迷并无心跳了，无论骨折和外伤情况如何，都应该先进行保持呼吸道通畅和心肺复苏，然后再进行止血包扎，在进行下一步护送前必须妥善固定后才能搬运。

1. 通气技术

呼吸道发生阻塞可在很短的时间内使伤员窒息死亡，故抢救时必须争分夺秒地解除各种阻塞原因，维持呼吸道的通畅。造成呼吸道阻塞的原因主要有：① 颌面、颈部损伤后，血液、血凝块、骨碎片、软组织块、呕出物和分泌物及异物阻塞气道；② 颈部血管损伤形成血肿压迫，或气管直接受损等也可造成气道阻塞；③ 重型颅脑伤致伤员深度昏迷，下颌及舌根后坠，口腔分泌物和呕吐物吸入或堵塞气道；④ 吸入性损伤时，喉及气道黏膜水肿；⑤ 肺部爆震伤造成的肺出血或气管损伤。

根据受伤史和受伤部位，伤员面色及口唇因缺氧而青紫发绀、呼吸困难、有痰鸣音或气道阻塞、呼吸急促等，可做出呼吸道阻塞的判断。

对呼吸道阻塞的伤员，必须果断地以最简单且迅速有效的方式予以通气。常用的方法有：

(1) 抬起下颌(见图6-1):适用于颅脑伤舌根后坠及伤员深度昏迷而窒息者。用双手抬起伤员两侧下颌角,即可解除呼吸道阻塞。如仍有呼吸异常音,应迅速用手指掰开下颌,掏出或吸出口内分泌物、血液和血凝块等。呼吸道通畅后应将伤员头偏向一侧或取侧卧位。必要时可将舌拉出,用别针或丝线穿过舌尖固定于衣扣上或用口咽通气管。

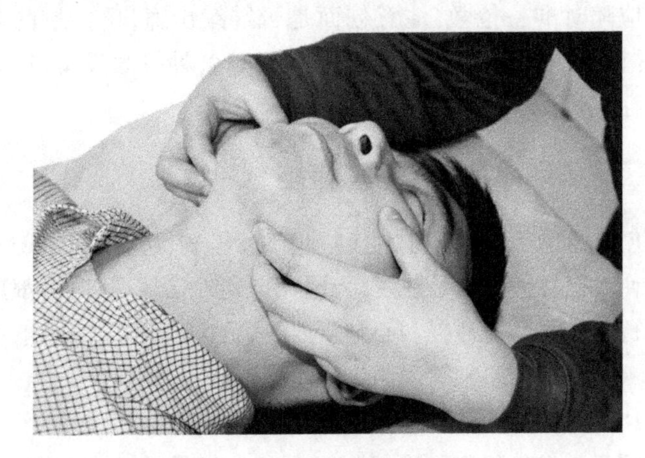

图6-1 抬下颌通畅气道手法

(2) 手指掏出堵塞物(见图6-2):适用于颌面部伤所致的口腔内呼吸道阻塞。有条件时(急诊室)可用吸引管吸出堵塞物。呼吸道通畅后应将伤员头偏向一侧或取侧卧位。

(3) 环甲膜穿刺或切开:在情况特别紧急,或上述两项措施不见效而又有一定抢救设备时(急诊室或救护车),可用粗针头做环甲膜穿刺,对不能满足通气需要者,可用尖刀片做环甲膜切开,然后放入导管,吸出气道内血液和分泌物。做环甲膜穿刺或切开时,注意勿用力过猛,防止损伤食管等其他组织。

(4) 气管插管。

(5) 气管切开:可彻底解除上呼吸道阻塞和清除下呼吸道分泌物。

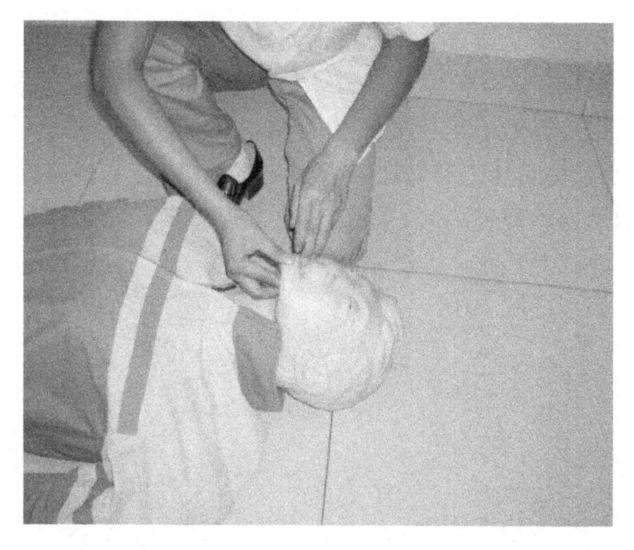

图 6-2　手指掏出堵塞物

2. 止血技术

各种突发创伤中，常有外伤大出血的情况。正常成人失血量≤10%（约 400 mL）时，可能出现头昏或无任何反应。失血量达 20% 左右（约 800 mL）时，会出现肢端厥冷，意识模糊的症状及血压下降、脉搏细速等失血性休克表现。当伤者失血量≥30%时，不及时抢救，短时间内可危及生命或发生严重的并发症。因此，创伤现场救护的重要内容之一是及时准确地止血。

现场止血可以用毛巾、手绢、衣服等折成三指宽的宽带当作止血带，禁止用电线、铁丝、绳子等止血。准确判断出血的部位、出血的性质有助于出血的处理。动脉出血呈鲜红色，速度快，呈间歇性喷射状；静脉出血多为暗红色，持续涌出；毛细血管损伤多为渗血，呈鲜红色，自伤口缓慢流出。止血时不要去除血液浸透的敷料，而应在其上另加敷料并保持压力。肢体出血应将受伤区域抬至超过心脏的高度。

常用的止血方法包括指压止血、加压包扎止血、加垫屈肢止血、填塞止血和止血带止血等。

（1）指压止血法：用手指压迫动脉经过骨骼表面的部位，达到止血目的（见图6-3）。如头颈部大出血，可压迫一侧颈总动脉、颞动脉或颌动脉；上臂出血可根据伤部压迫腋动脉或肱动脉；下肢出血可压迫股动脉等。指压止血法是应急措施，因四肢动脉有侧支循环，故其效果有限，且难以持久。因此，应根据情况适时改用其他止血方法。

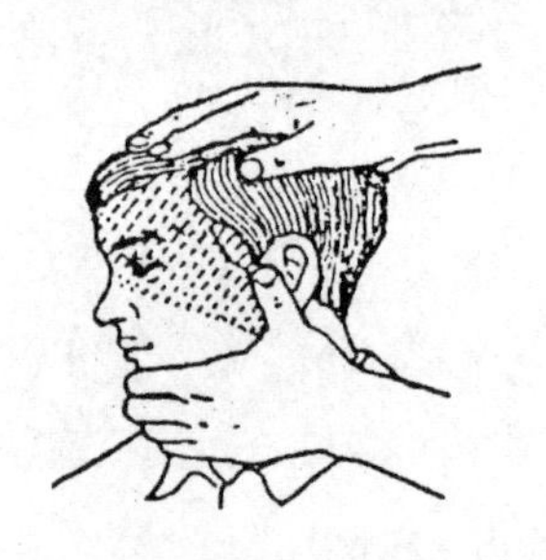

(a) 颞动脉的指压止血法

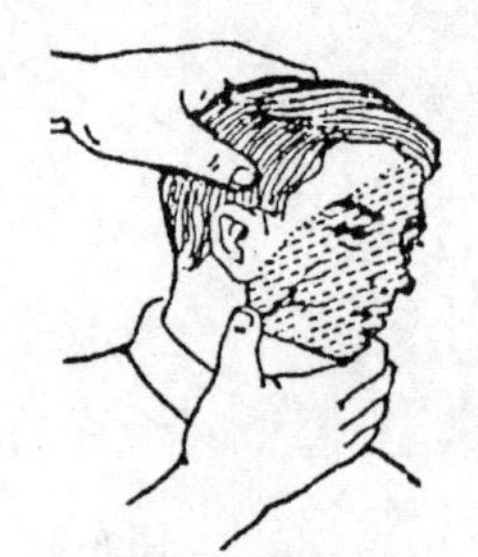

(b) 面动脉的指压止血法

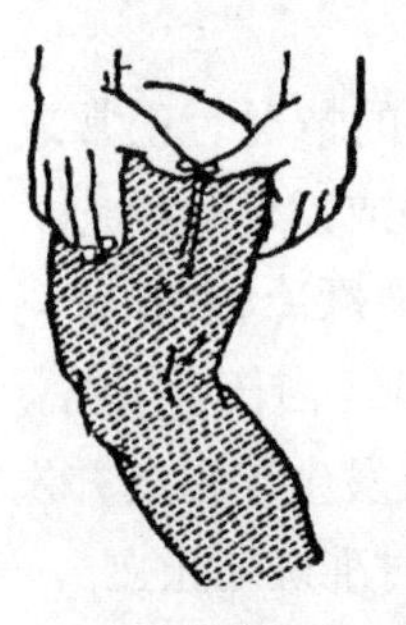

(c) 股动脉的指压止血法

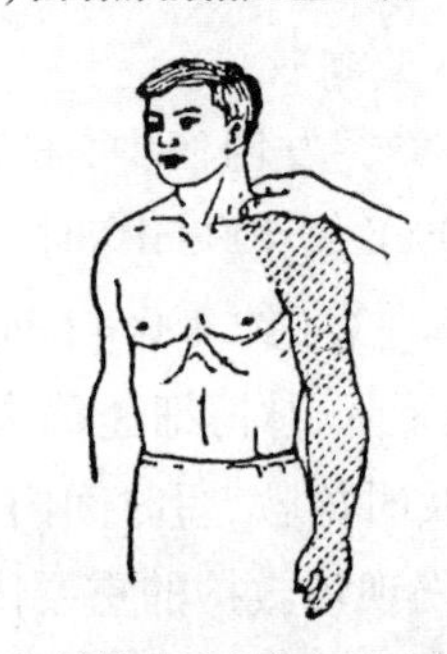

(d) 锁骨动脉的指压止血法

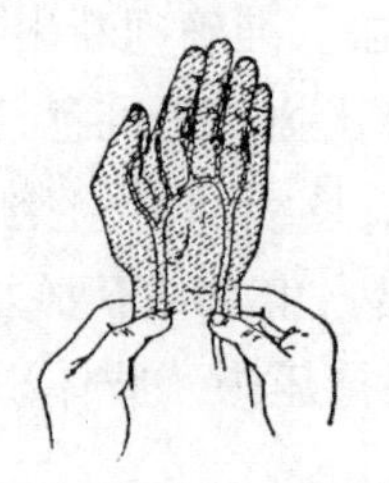

(e) 桡、尺动脉的指压止血法

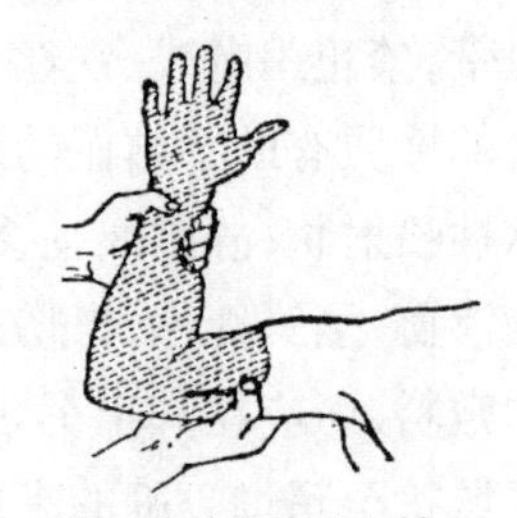

(f) 肱动脉的指压止血法

图 6-3　指压止血法

① 头顶部出血：压迫同侧耳屏前方颧弓根的搏动点（颞浅动脉），将动脉压向颞骨（见图 6-4）。

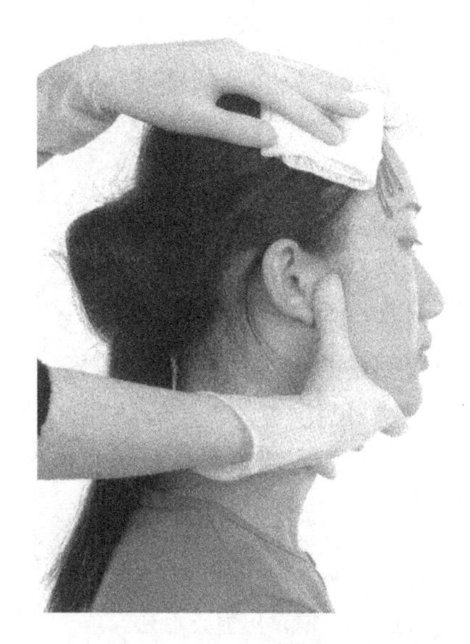

图 6-4　头顶部出血止血法

② 颜面部出血：压迫同侧下颌骨下缘，咬肌前缘的搏动点（面动脉），将动脉压向下颌骨。

③ 头颈部出血：用拇指或其他四指压迫同侧气管外侧与胸锁乳突肌前缘中点之前的强搏动点（颈总动脉），用力压向第五颈椎横突处。压迫颈总动脉止血应慎重，严禁双侧压迫，以免引起脑缺血缺氧。

④ 头后部出血：压迫同侧耳后乳突下稍往后的搏动点（枕动脉），将动脉压向乳突。

⑤ 肩部、腋部出血：压迫同侧锁骨上窝中部的搏动点（锁骨下动脉），将动脉压向第 1 肋骨。

⑥ 上臂出血：外展上肢 90°，在腋窝中点用拇指将腋动脉压向肱骨头。

⑦ 前臂出血：压迫肱二头肌内侧沟中部的搏动点（肱动

脉),将动脉压向肱骨干(见图6-5)。

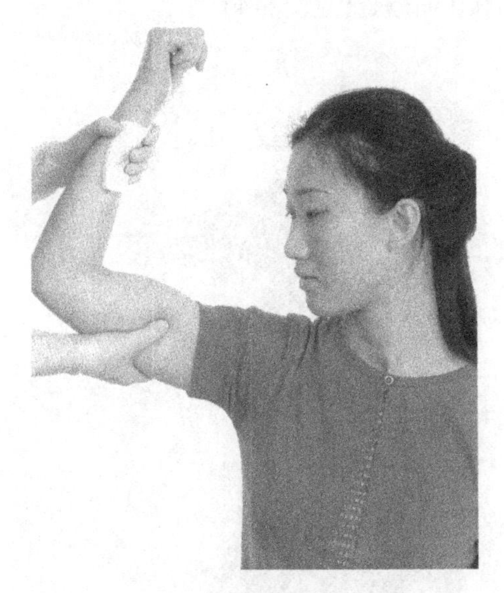

图6-5　前臂出血止血法

⑧ 手部出血:压迫手腕横纹稍上方的内、外侧搏动点(尺、桡动脉),将动脉压向尺、桡骨。

⑨ 大腿出血:压迫腹股沟中点稍下部的强搏动点(股动脉),可用双拳或双手拇指交叠用力将动脉压向耻骨上支。

⑩ 小腿出血:在腘窝中部压迫腘动脉。

⑪ 足部出血:压迫足背中部近脚腕处的搏动点(胫前动脉)和足跟内侧与内踝之间的搏动点(胫后动脉)。

(2) 加压包扎止血法:体表及四肢出血,大多数可用加压包扎达到暂时止血的目的。将无菌敷料或衬垫覆盖在伤口上,用手或其他物体在包扎伤口的辅料上施以压力(见图6-6),一般持续5~15分钟才可奏效。同时将受伤部位抬高也有利于止血。此法适用于小动脉、中小静脉或毛细血管出血。

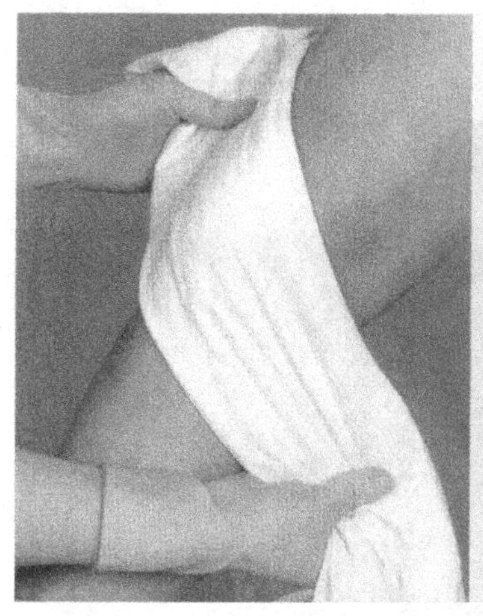
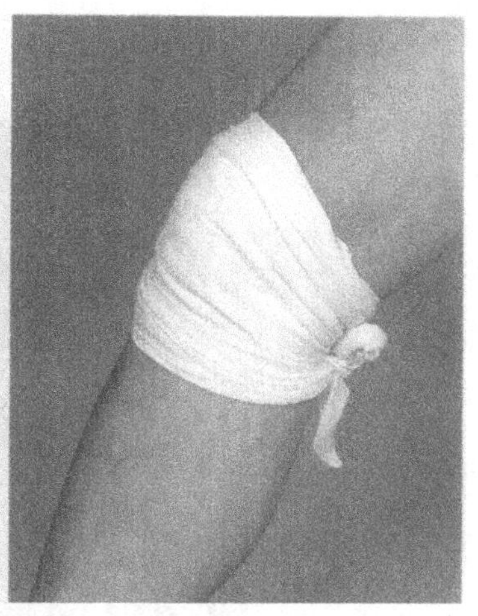

图 6-6　加压包扎止血法

（3）加垫屈肢止血法：该方法是先将灭菌纱布或敷料填塞或置于伤口处，外加纱布垫压，在关节屈侧加上纱布团，再以绷带加压包扎（见图6-7）。包扎后将伤肢抬高，以增加静脉回流和减少出血。

图 6-7　加垫屈肢止血法

（4）填塞止血法：用于肌肉、骨端等渗血。先用一两层大的无菌纱布铺盖伤口，以纱布条或绷带充填其中，再加压包扎（见图6-8）。此法止血不够彻底，且可能增加感染机会。另外，在清创去除填塞物时，可能由于凝血块随同填塞物同时被取出，又出现较大出血。

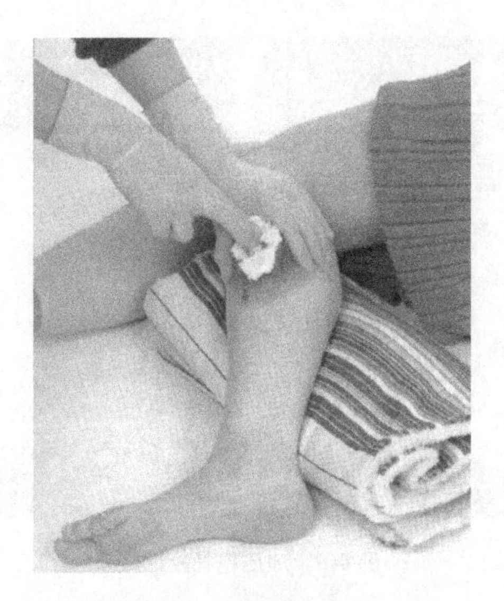

图 6-8　填塞止血法

（5）止血带止血法：一般用于四肢伤大出血，且加压包扎无法止血的情况（见图 6-9 至图 6-14）。使用止血带时，接触面积应较大，以免造成神经损伤。止血带的位置应靠近伤口的最近端。止血带中以局部充气式止血带最好，其副作用小。在紧急情况下，也可使用橡皮管、三角巾或绷带等代替，但应在止血带下放好衬垫物。禁用细绳索或电线等充当止血带。

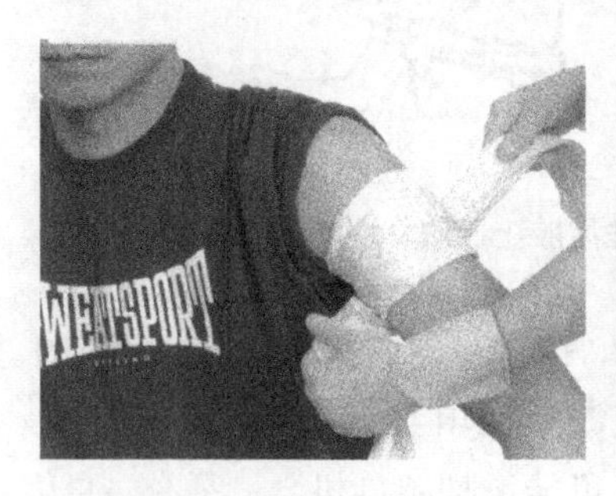

图 6-9　止血带止血法（一）

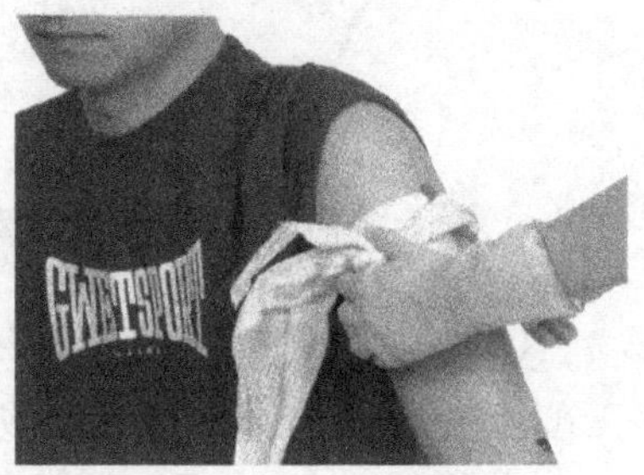

图 6-10　止血带止血法（二）

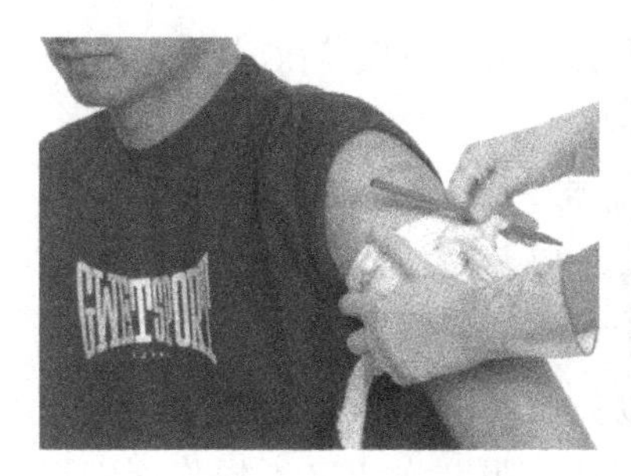

图 6-11　止血带止血法(三)

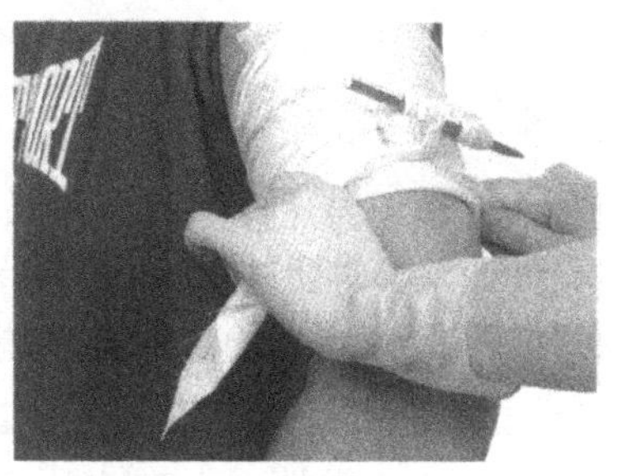

图 6-12　止血带止血法(四)

图 6-13　止血带止血法(五)

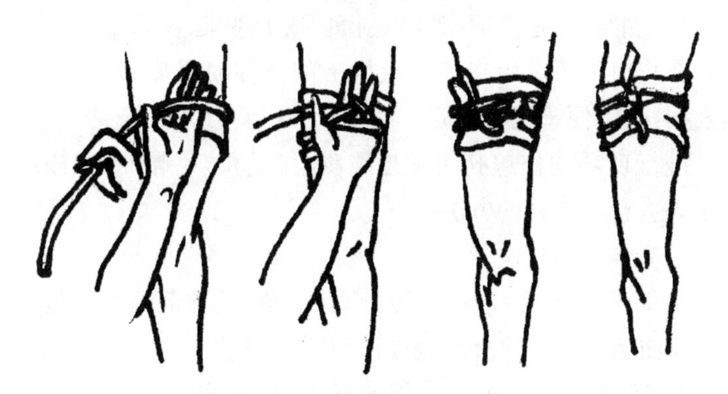

图 6-14　止血带止血法(六)

使用止血带应注意以下事项：

① 扎止血带前，应先将伤肢抬高，防止肢体远端因瘀血而增加失血量。

② 扎止血带时要有衬垫，不能直接扎在皮肤上，以免损伤皮下神经。

③ 前臂和小腿不适于扎止血带，因其均有两根平行的骨干，骨间可通血流，所以止血效果差。但在肢体离断后的残端可使用止血带，要尽量扎在靠近残端处。

④ 禁止扎在上臂的中段，以免压伤桡神经，引起腕下垂。

⑤ 止血带的压力要适中，即达到阻断血流又不损伤周围组织为度。

⑥ 止血带止血持续时间一般不超过 1 小时，太长可导致肢体坏死，太短会使出血、休克进一步恶化。因此，使用止血带的伤员必须配有明显标志，并准确记录开始扎止血带的时间，每 0.5 ~1 小时缓慢放松一次止血带，放松时间为 1 ~3 分钟，此时可抬高伤肢压迫局部止血；再扎止血带时应在稍高的平面上绑扎，不可在同一部位反复绑扎。使用止血带以不超过 2 小时为宜，应尽快将伤员送到医院救治。

3. 包扎技术

包扎的目的是保护伤口和创面，减少感染，减轻痛苦。加压包扎有止血作用。用夹板固定骨折的肢体时需要包扎，以减少继发损伤，也便于运送医院。

进行现场创伤包扎可就地取材，用毛巾、手帕、衣服撕成的布条等进行。包扎的方法如下：

(1) 布条包扎法

① 环形包扎法：该法适用于头部、颈部、腕部、胸部、腹部等处。将布条做环行重叠缠绕肢体数圈后即成。

② 螺旋包扎法：该法用于前臂、下肢和手指等部位的包扎。先用环形法固定起始端，把布条渐渐地斜旋上缠或下缠，每圈压前圈的 1/2 或 1/3，呈螺旋形，尾部在原位上缠两圈后予以固定。

③ 螺旋反折包扎法：该法多用于粗细不等的四肢包扎。开始先做螺旋形包扎，待到渐粗的地方，以一手拇指按住布条上

面，另一手将布条自该点反折向下，并遮盖前圈的1/2或1/3。各圈反折须排列整齐，反折头不宜在伤口和骨头突出部位。

④“8”字包扎法：该法多用于关节处的包扎。先在关节中部环形包扎两圈，然后以关节为中心向两边缠。一圈向上，一圈向下，两圈在关节屈侧交叉，并压住前圈的1/2。

（2）毛巾包扎法

①头顶部包扎法：毛巾横盖于头顶部，包住前额，两后角拉向头后打结，两前角拉向下颌打结（见图6-15）；或者毛巾横盖于头顶部，包住前额，两前角拉向头后打结，然后两后角向前折叠，左右交叉绕到前额打结（见图6-16），如毛巾太短可接带子。

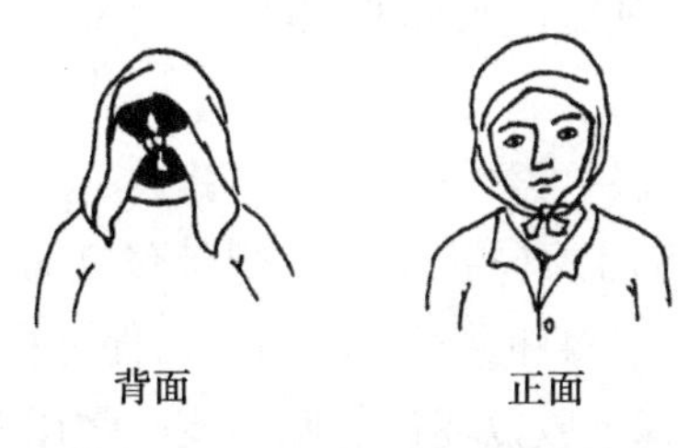

图6-15　头顶部毛巾包扎法（一）

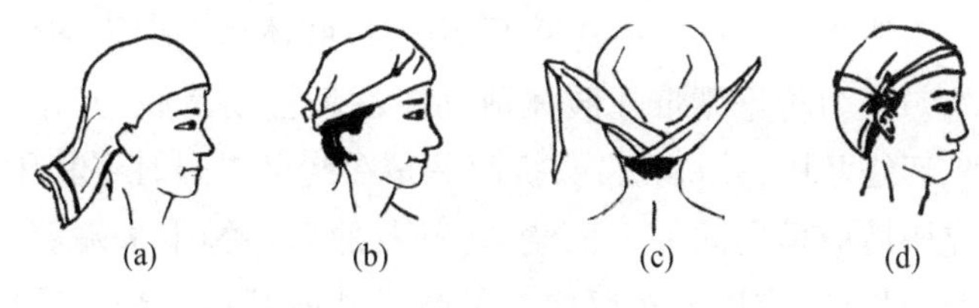

图6-16　头顶部毛巾包扎法（二）

②面部包扎法：将毛巾横置，盖住面部，向后拉紧毛巾的两端，在耳后将两端的上、下角交叉后分别打结，眼、鼻、嘴处剪洞。

③下颌包扎法：将毛巾纵向折叠成四指宽的条状，在一端扎一小带，毛巾中间部分包住下颌，两端上提，小带经头顶部在另一侧耳前与毛巾交叉，然后小带绕前额及枕部与毛巾另一端打结。

④ 肩部包扎法:单肩包扎时,毛巾斜折放在伤侧肩部,腰边穿带子在上臂固定,叠角向上折,一角盖住肩的前部,从胸前拉向对侧腋下,另一角向上包住肩部,从后背拉至对侧腋下打结。

⑤ 胸部包扎法:全胸包扎时,毛巾对折,腰边中间穿带子,由胸部围绕到背后打结固定。胸前的两片毛巾折成三角形,分别将角上提至肩部,包住双侧胸,两角各加带过肩到背后与横带相遇打结。

背部包扎法与胸部包扎法相同。

⑥ 腹部包扎法:将毛巾斜对折,中间穿小带,小带的两部拉向后方,在腰部打结,使毛巾盖住腹部。将上、下两片毛巾的前角各扎一小带,分别绕过大腿根部与毛巾的后角在大腿外侧打结。

(3) 绷带包扎法

绷带是传统使用的包扎用物。绷带包扎是包扎技术的基础,用于制动、固定敷料和夹板、加压止血、促进组织液吸收或防止组织液流失、支撑下肢以促进静脉回流。常用绷带有棉布、纱布、弹力及石膏绷带等,宽度和长度有多种规格。缠绕绷带时,应一手拿绷带的头端并将其展平,由伤员肢体远端向近端包扎,用力均匀。为防止绷带在肢体活动时逐渐松动滑脱,开始包扎时应先环绕两周,并将绷带头折回一角在绕第二圈时将其压住,包扎完毕后应再在同一平面绕两三圈,然后将绷带末端剪开或撕成两股打结,或用胶布固定。绷带包扎的基本方法及适用范围如下:

① 回返式包扎法:先将绷带以环形法缠绕数周,由助手在后面将绷带固定住,反折后绷带由后部经肢体顶端或截肢残端向前,也由助手在前面将绷带固定住,再反折向后,如此反复包扎,每一来回均覆盖前一次的 1/3 到 1/2,直至包住整个伤处顶端,最后将绷带再环绕数周把反折处压住固定(见图 6-17)。适用于头顶部、指端、截肢残端。

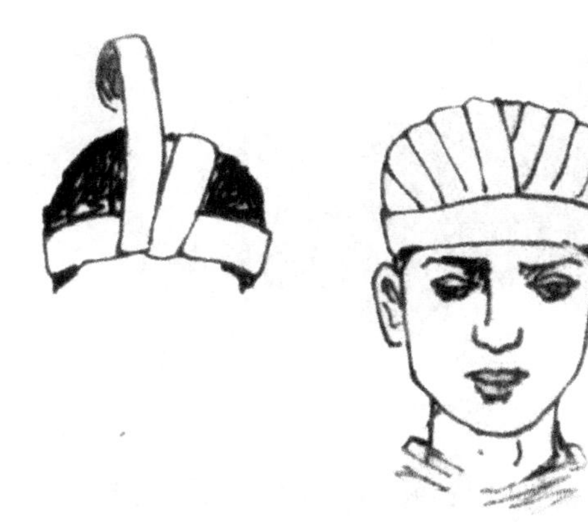

图 6-17　绷带回返式包扎法

② “8”字形包扎法：在伤处上下，将绷带自下而上，再自上而下，重复做“8”字形旋转缠绕，每周遮盖上一周的 1/3 到 1/2（见图 6-18）。适用于直径不一致的部位或屈曲的关节部位，如肩、髋、膝等。

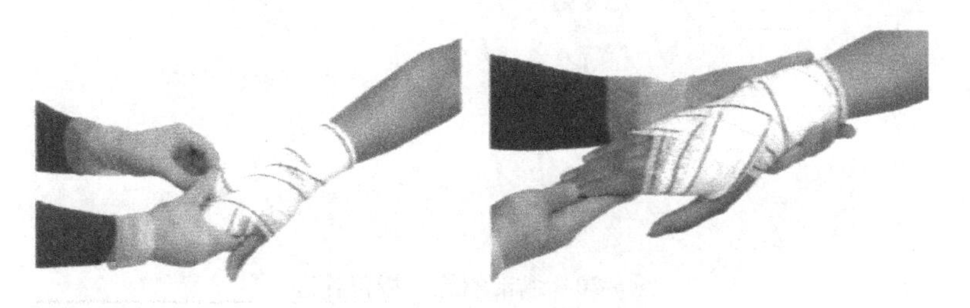

图 6-18　绷带腕部“8”字形包扎法

③ 螺旋形包扎法：先用环形缠绕数周，然后稍微倾斜螺旋向上缠绕，每周遮盖上一周的 1/3 到 1/2（见图 6-19）。适用于包扎直径基本相同的部位如上臂、手指、躯干、大腿等。

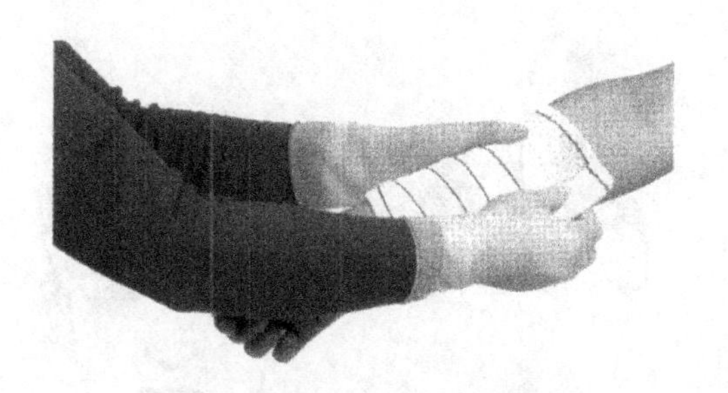

图 6-19　绷带螺旋包扎法

④ 螺旋反折包扎法:每圈缠绕时均将绷带向下反折,并遮盖上一周的1/3到1/2,反折部位应位于相同部位,使之成一直线(见图6-20)。适用于直径大小不等的部位,如前臂、小腿等。注意不可在伤口上或骨隆突处反折。

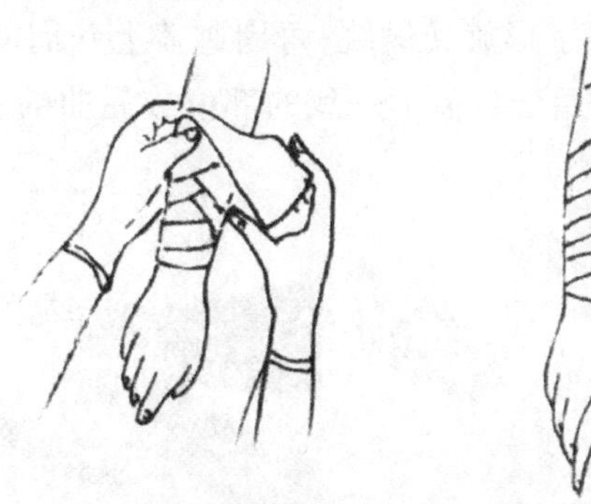

图 6-20　绷带螺旋反折包扎法

⑤ 环形包扎法:将绷带做环形缠绕(见图6-21)。适用于包扎的开始与结束时及包扎粗细均匀的部位,如颈、腕、胸、腹等处的伤口。

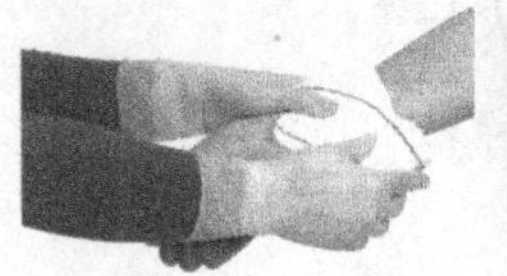
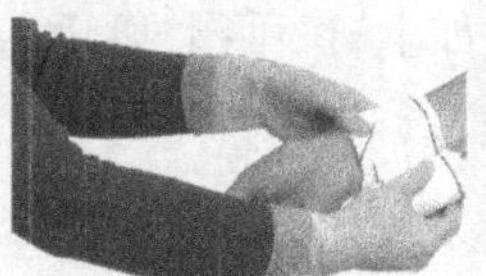
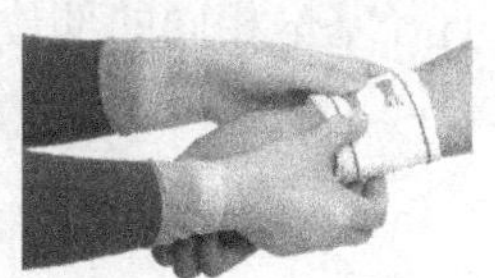

图 6-21　绷带环形包扎法

⑥ 蛇形包扎法：先用绷带以环形法缠绕数周，然后以绷带宽度为间隔，斜行上缠，各周互补遮盖。适用于夹板固定，或需由一处迅速延伸至另一处时，或做简单固定时。

（4）三角巾包扎法

适用于现场急救。三角巾的用途较多，可折叠成带状包扎较小伤口或作为吊带，可展开或折成燕尾巾包扎躯干或四肢较大的伤口，也可将两块三角巾连接在一起包扎更大范围的创面。进行三角巾包扎前，应先在伤口上垫敷料，再进行包扎。

① 头面部伤的包扎

a. 头顶包扎法：三角巾底边反折，正中放于伤员前额处，顶角经头顶垂于枕后，然后将两底角经耳上向后扎紧，在枕部交叉再经耳上绕到前额打结，最后将顶角向上反折嵌入底边内（见图6-22）。

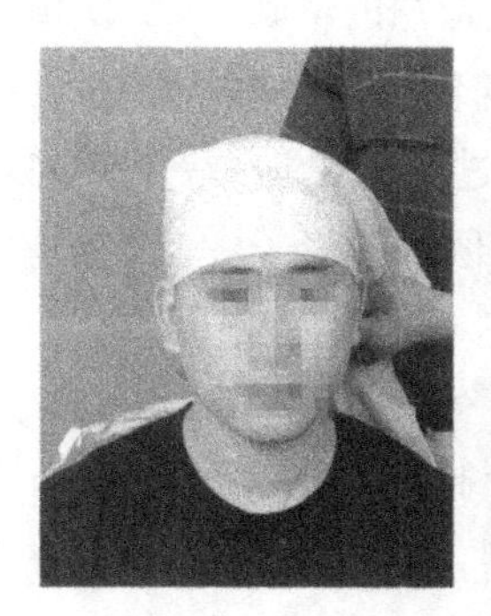
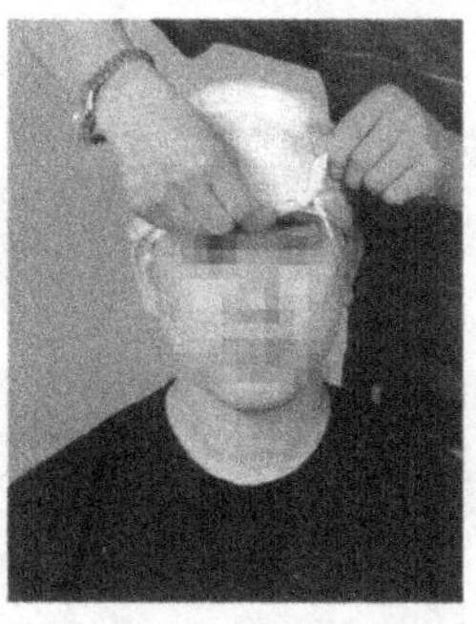
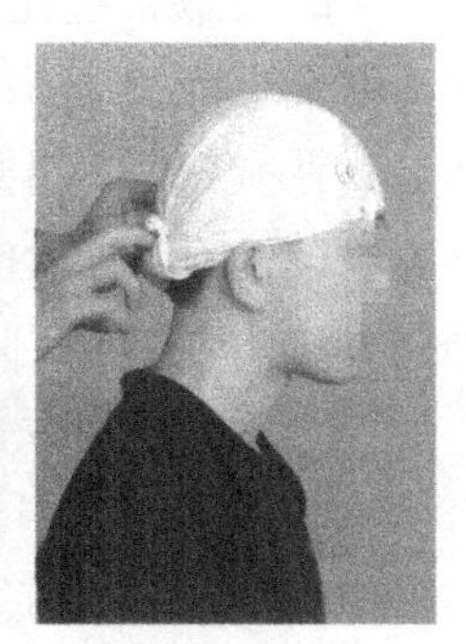

图 6-22　三角巾头顶包扎法

b. 风帽式包扎法：在顶角、底边中点各打一结，将顶角结放在额前，底边结置于枕后，然后将两底边拉紧并向外反折数道后，交叉包绕下颌部后绕至枕后，在预先做成的底边结上打结。

c. 面具式包扎法：三角巾顶角打结套在颌下，罩住面部及头部，将两底边两端拉紧至枕后交叉，再绕回前额打结。在眼、鼻、口部各剪一小口。

d. 额部包扎法：将三角巾折成约4指宽的带状，将中段放在覆盖伤口的敷料上，然后环绕头部，打结位置以不影响睡眠和不压住伤口为宜。

e. 眼部包扎法：包扎单眼时，将三角巾折成约4指宽的带状，将2/3向下斜放覆盖伤眼，下侧较长的一端从耳下绕至枕后，经健侧耳上至前额，压住上端，绕头一周至前侧颞部，与上端打结。包扎双眼时，可将上端反折向下，盖住另一伤眼，再经耳下至对侧耳上打结。

f. 耳部包扎法：将三角巾折成约5指宽的带状，包扎单耳时，从枕后向前上绕行，将伤耳包住，另一端经前额至健侧耳上，两端交叉于头的一侧打结。包扎双耳时，将带子的中段放于枕后，两端均斜向前上绕行，将两耳包住，在前额交叉，以相反方向环绕头部并打结。

g. 下颌部包扎法：将三角巾折成约4指宽的带状，留出顶角上的带子，置于枕后，两端分别经耳下绕向前，一段托住下颌，至对侧耳前与另一端交叉后在耳前向上绕过头顶，另一端交叉向下绕过下颌经耳后拉向头顶，然后两端和顶角的带子一起打结。此方法亦可用于下颌骨骨折的临时固定。

② 肩部包扎法

a. 单肩燕尾巾包扎法：将三角巾折成燕尾巾，将夹角朝上放于伤侧肩上，燕尾底边包绕上臂上部打结，两角（向后的一角大于向前的角并压住前角）分别经胸部和背部拉向对侧腋下打结（见图6-23）。

b. 双肩燕尾巾包扎法：将三角巾叠成两燕尾角等大的燕尾巾，夹角向上对准颈部，燕尾披在肩上，两燕尾角分别经左、右肩拉到腋下与燕尾底角打结。

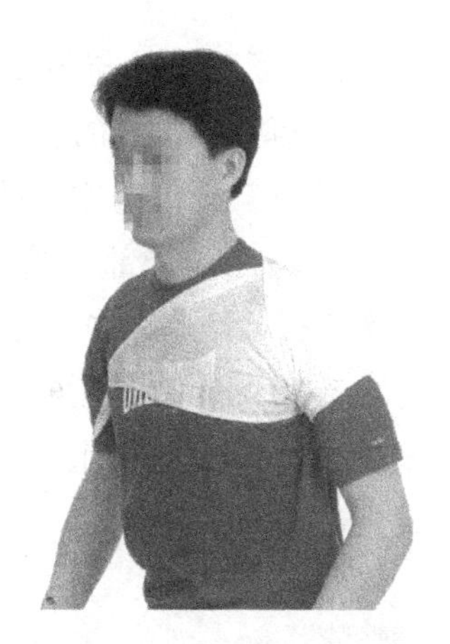

图 6-23　单肩燕尾巾包扎法

③ 胸(背)部伤的包扎

a. 胸部三角巾的包扎法:将三角巾顶角越过伤侧肩部,垂于背后,使三角巾底边中央位于伤部下方,底边反折约2横指,两底角拉至背后打结,再将顶角上的带子与底角结打在一起。

b. 胸部燕尾巾包扎法:将三角巾折成燕尾巾,并在底边反折一道,横放于胸部,两角向上,分别放于两肩上并拉到颈后打结,再用顶角带子绕至对侧腋下打结(见图 6-24)。

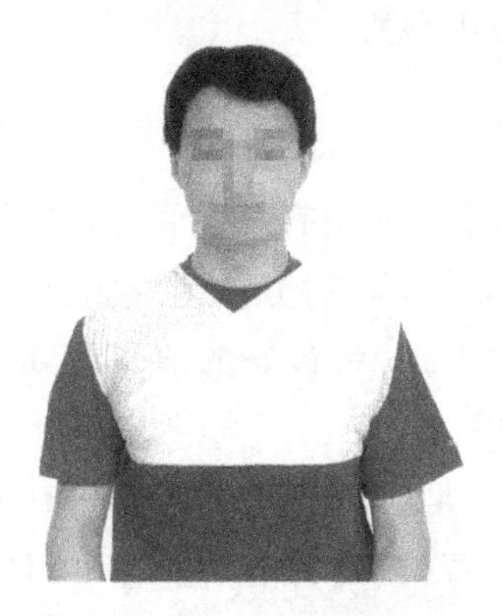
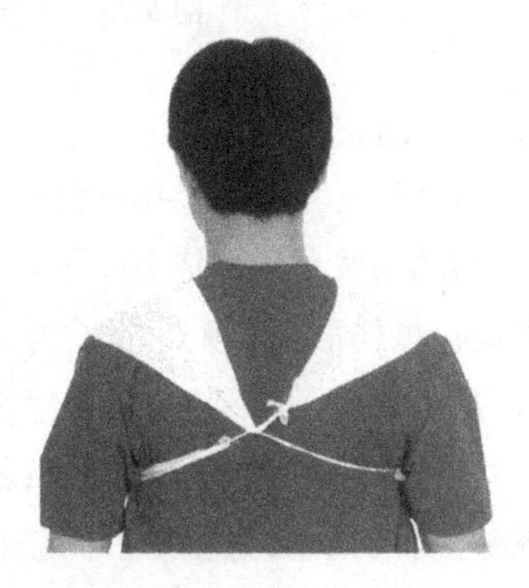

图 6-24　胸部燕尾巾包扎法

包扎背部的方法与胸部相同，只是位置相反，结打在胸前。

④ 腹部及臀部伤的包扎

a. 腹部三角巾包扎法：将三角巾顶角朝下，底边横放于上腹部，两底角拉紧于腰部打结，顶角带子经会阴拉至后面，同两底角的余头打结。此方法也可用于双臀包扎（见图6-25）。

b. 双臀蝴蝶结包扎法：用两块三角巾连接成蝴蝶巾，将打结部放在腰骶部，底边的上端在腹部打结后，下端由大腿后方绕向前，与各自的底边打结。

图6-25 腹部三角巾包扎法

⑤ 四肢伤的包扎

a. 上肢三角巾包扎法：将三角巾一底角打结后套在伤侧手上，结的余头留长些备用，另一底角沿手臂后方拉至对侧肩上，顶角包裹伤肢后，顶角带子与自身打结，将包好的前臂屈到胸前，拉紧两底角打结。

b. 手（足）三角巾包扎法：将手（足）放在三角巾上，手指（或脚趾）对准顶角，将顶角折回盖在手背（或足背）上，折叠手（足）两侧的三角巾使之符合手（足）的外形，然后将两底角绕腕（踝）

部打结(见图6-26)。

c. 足与小腿三角巾包扎法:将足放在三角巾的一端,足趾朝向底边,提起顶角和较长的一底角包绕小腿后于膝下打结,再用短的底角包绕足部,于足踝处打结。

d. 上肢悬吊包扎法:将三角巾底边的一端置于健侧肩部,屈曲伤侧肘80°左右,将前臂放在三角巾上,然后将三角巾向上反折,使底边另一端到伤侧肩部,在颈后与另一端打结,将三角巾顶角折平打结或用安全别针固定,此为大悬臂带。也可将三角巾叠成带状,悬吊伤肢,两端于颈后打结,即为小悬臂带。

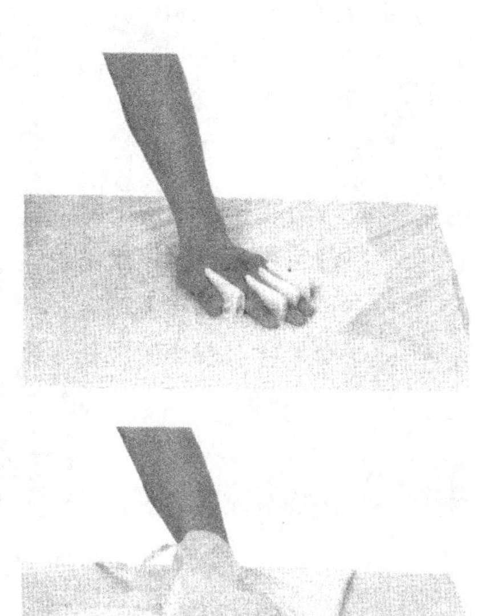

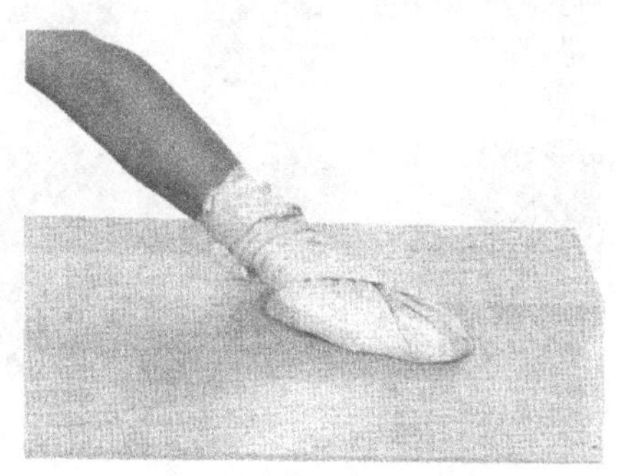

图6-26　手部三角巾包扎法

e. 膝(肘)部三角巾包扎法:将三角巾折成适当宽度(以能覆盖伤口为宜)的带状,将带的中段放于膝(肘)部,取带的两端环绕肢体一周并分别压在上下两边,避免在伤口处打结(见图6-27)。

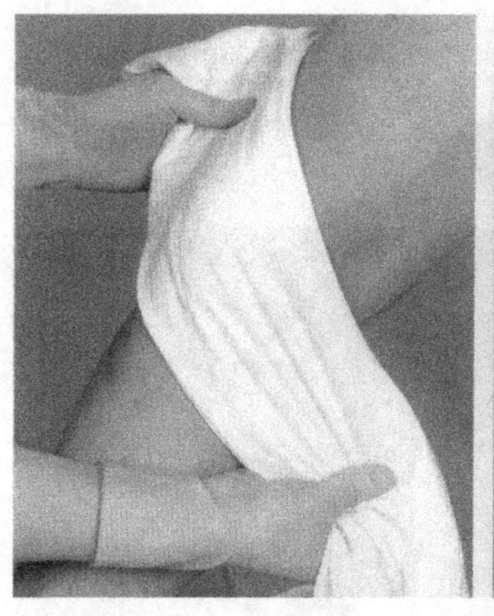
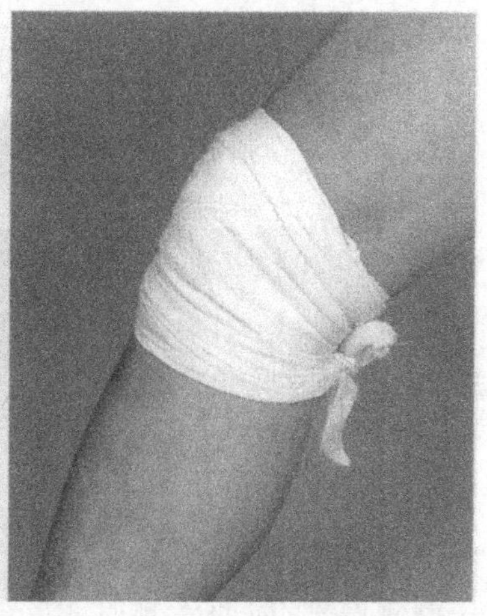

图 6-27　膝部三角巾包扎法

（5）网套包扎法

网套包扎法见图 6-28。

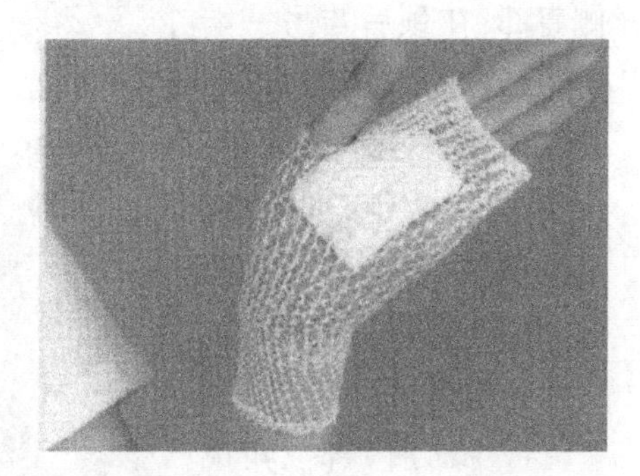

图 6-28　网套包扎法

4. 固定技术

创伤急救中所有四肢骨折均应进行固定，脊柱骨折、骨盆骨折也应相对固定。及时、正确的固定，有助于减少伤部活动，减轻疼痛，预防休克，避免神经、血管、骨骼及软组织的再损伤，便于伤员的搬运。

（1）固定原则

① 首先检查意识、呼吸、脉搏及处理严重出血。

② 用绷带、三角巾、夹板固定受伤部位。

③ 夹板的长度应能将骨折处的上下关节一同加以固定。

④ 骨断端暴露，不要拉动，不要送回伤口内。

⑤ 暴露肢体末端以便观察血运。

⑥ 固定伤肢后，应将伤肢抬高。

⑦ 如现场对生命安全有威胁，要将伤者移至安全区再固定。

⑧ 预防休克。

（2）固定操作要点

① 置伤者于适当位置，就地施救。

② 夹板与皮肤、关节、骨突出部加衬垫，固定时操作要轻。

③ 先固定骨折的上端，再固定下端，绑带不要系在骨折处。

④ 前臂、小腿部位的骨折，尽可能在损伤部位的两侧放置夹板固定，以防止肢体旋转及避免骨折断端相互接触。

⑤ 固定后，上肢为屈肘位，下肢呈伸直位。

⑥ 应露出指（趾）端，便于检查末稍血运。

（3）物品准备

最理想的固定器材是夹板，类型有木制、金属、充气性塑料夹板或树脂做的可塑性夹板。紧急情况下注意因地制宜、就地取材，可选用树枝、竹板、木棒、镐把、枪托等代替，还可直接用伤员健侧肢体或躯干进行临时固定。固定时还需另备纱布、绷带、三角巾或毛巾、衣物等。

（4）固定方法

① 颈椎及腰椎固定（见图 6-29 和图 6-30）。

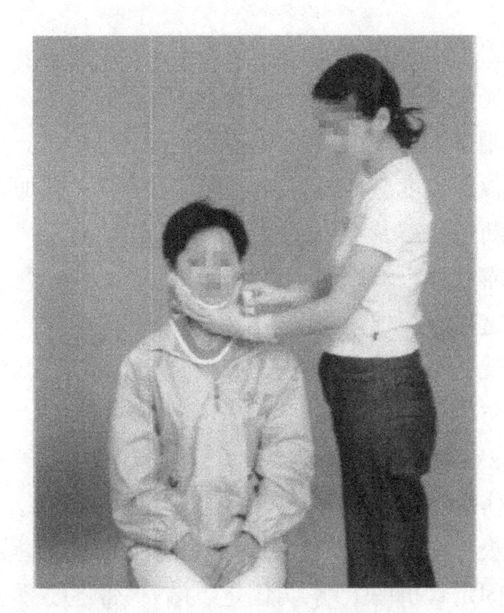

图 6-29　颈椎固定

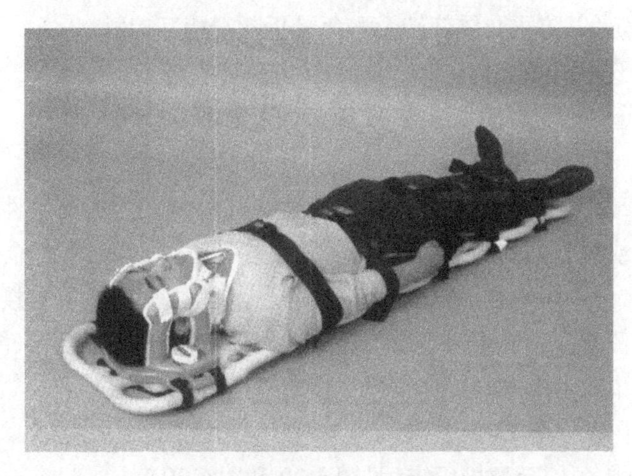

图 6-30　脊柱和头部固定

② 上臂骨折固定见(图 6-31)。若用一块夹板,夹板置于上臂外侧。若用两块夹板,则分别置于上臂的后外侧和前内侧。然后两条带子在骨折部位的上、下端固定,使肘关节屈曲 90°,用

上肢悬吊包扎法将上肢悬吊于胸前。若无夹板,可用两块三角巾,一条将上臂呈 90°悬吊于胸前,另一条将伤肢上臂与胸部固定。

③ 前臂骨折固定(见图 6-32)。协助伤员将伤肢屈曲 90°,拇指在上。取两块夹板,长度分别为肘关节内、外侧至指尖的长度,分别置于前臂内、外侧,用三条带子固定骨折部位的上、下端和手掌部,再用大悬臂带将上肢悬吊于胸前。仅有一块夹板时可置于前臂外侧。无夹板时,也可用上臂无夹板固定的方法。

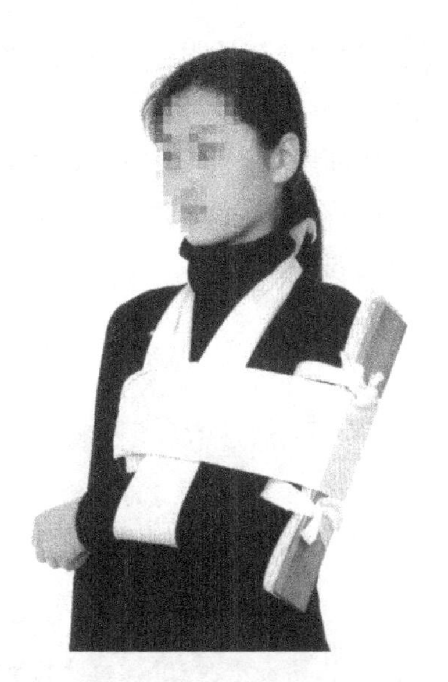

图 6-31　上臂骨折固定

图 6-32　前臂骨折固定

④ 大腿骨折固定(见图 6-33)。用长、短两块夹板分别置于大腿的外侧和内侧,长夹板的长度自腋下至足跟,短夹板的长度

自大腿根部至足跟。在骨隆突处、关节处和空隙处加衬垫,然后用带子分别在骨折部位上下端、腋下、腰部和关节上下端打结固定,足部用“8”字形固定,使脚与小腿呈直角功能位。若无夹板,也可将伤员两下肢并紧,中间加衬垫,将健侧肢体与伤肢分段固定在一起。

图 6-33　大腿骨折固定

⑤ 小腿骨折固定。取两块相当于大腿根部至足跟长度的夹板,分别置于小腿内、外侧,在骨隆突处、关节处和空隙处加衬垫,然后用带子分别在骨折部位上下端和关节上下端打固定结,足部呈“8”字形固定,使脚与小腿呈直角功能位。无夹板时,也可用大腿无夹板固定的方法

(5) 注意事项

① 若有伤口和出血,应先止血和包扎,再行骨折固定。若伤员休克,应先行抗休克处理。

② 在处理开放性骨折时,刺出的骨折断端在未经清创时不可回纳伤口内,以防感染。

③ 夹板固定时,其长度与宽度要与骨折的肢体相适应。下肢夹板长度必须超过骨折部位上下两个关节,即“超关节固定”原则:固定时除骨折部位上下两端外,还要固定上下两个关节。

④ 夹板不可直接接触皮肤，其间要加衬垫，尤其在夹板两端、骨隆突处和悬空部位应加厚垫，以防局部组织受压或固定不稳。

⑤ 固定应松紧适度，牢固可靠，但不影响血液循环。肢体骨折时，一定要将指（趾）露出，以便随时观察末梢血液循环情况，如发现指（趾）端苍白、发冷、麻木、疼痛、水肿或青紫，说明血液循环不良，应松开重新固定。

⑥ 固定后避免不必要的搬动，不可强制伤者进行各种活动。

5. 搬运技术

创伤急救的搬运是重要技术之一。所有转移活动受限的伤病员，通过正确搬运使伤员迅速脱离危险地带，防止再次损伤。搬运伤员的方法应根据当地、当时的器材和人力而定。

（1）搬运护送原则

① 观察受伤现场和判断伤情。

② 做好伤病员现场的救护，先救命后治伤。

③ 应先止血、包扎、固定后再搬运。

④ 伤病员体位要适宜。

⑤ 不要无目的地移动伤病员。

⑥ 保持脊柱及肢体在一条轴线上，防止损伤加重。

⑦ 动伤要轻巧、迅速，避免不必要的震动。

⑧ 注意伤情变化，并及时处理。

（2）搬运操作要点

① 现场救护后，要根据伤病员的伤情轻重和特点分别采取搀扶、背运、双人搬运等措施。

② 疑有脊柱、骨盆、双下肢骨折时不能让伤病员试行站行。

③ 疑有肋骨骨折的伤病员不能采取背运的方法。

④ 伤势较重，有昏迷、内脏损伤、脊柱、骨盆骨折，双下肢骨折的伤病员应采取担架器械搬运方法。

⑤ 现场如无担架，应制作简易担架，并注意禁忌事项。

（3）物品准备

担架是搬运伤病员的专用工具，紧急情况下多为徒手搬运，或用临时制作的替代工具，但不可因寻找搬运工具而贻误搬运时机。

（4）搬运方法

① 担架搬运法（见图 6-34）。这是最常用的搬运方法，适用于病情较重、转移路途较长的伤病员。常用的担架有帆布担架、板式担架、铲式担架、四轮担架，以及自制的临时担架（如绳索担架、被服担架）等。担架搬运的动作要领：由三四人组成一组，将伤者移上担架；伤者头部向后，足部向前，以便后面的担架员随时观察伤者病情变化；担架员脚步行动要一致，平稳前进；向高处抬时，前面的担架员要放低，后面的担架员要抬高，使伤者保持水平状态；向低处抬时，则相反。

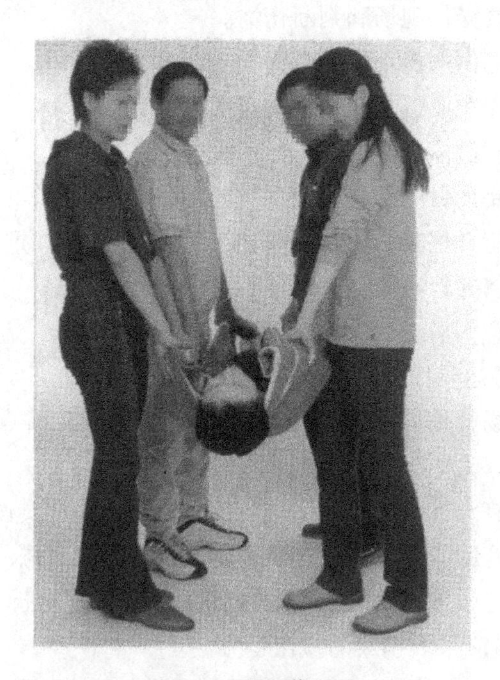

图 6-34　担架搬运法

② 人工搬运法。适用现场无担架、转运路途较近,伤员病情较轻的情况。

单人搬运法(见图6-35):a. 侧身匍匐法:根据伤员的受伤部位,采用左或右侧匍匐法。搬运时,使伤员的伤部向上,头部和上肢不与地面接触,搬运者协伤员匍匐前进。b. 牵托法:将伤员放在油布或雨衣上,将两个对角或双袖扎在一起固定伤员的身体,用绳子牵拉油布或雨衣前行。c. 扶持法:搬运者站在伤员一侧,使伤员靠近并用手臂揽住搬运者的头颈,搬运者用外侧的手牵伤员的手腕,另一手扶持伤员的腰背部,扶其行走。适用于伤情较轻、能够行走的伤员。d. 抱持法:搬运者站于伤员一侧,一手托其背部,一手托其大腿,将伤员抱起。有知觉的伤员可配合抱住搬运者的颈部。e. 背负法:搬运者站在伤员一侧,一手抓紧伤员双臂,另一手抱其腿,用力翻身,使其负于搬运者的背上,然后搬运者慢慢站起。

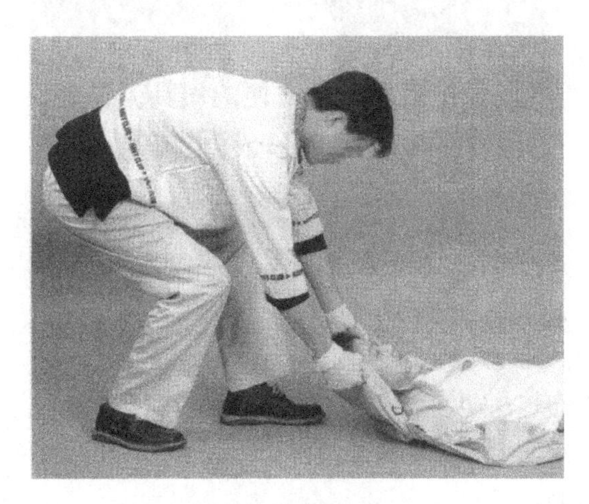

图6-35 单人搬运法

双人搬运法(见图6-36):a. 椅托式搬运法:一人以左膝、另一人以右膝跪地,各用一手伸入伤员的大腿下,另一手彼此交叉支持伤员的背部,慢慢将伤员抬起。b. 拉车式搬运法:一人站在伤员的头侧,以两手插至伤员的腋下,将伤员抱在怀里,另一人跨在伤员两腿之间,抬起伤员的双腿,两人同方向步调一致抬伤员前行。c. 平抬或平抱搬运法:两人并排将伤员平抱,或者一左一右、一前一后将伤员抬起。注意此法不适用于脊柱损伤者。

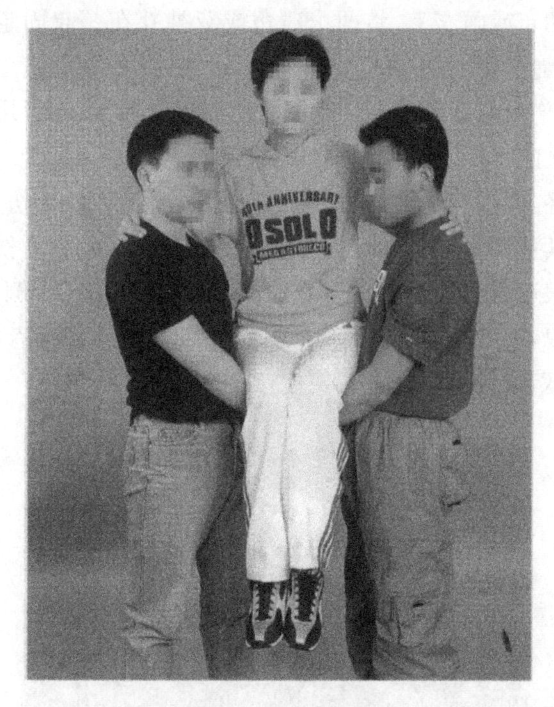

图 6-36 双人搬运法

多人搬运法(见图 6-37):3 人可并排将伤员抱起,并步调一致向前。第四人可负责固定头部。多于 4 人,可面对面,将伤员平抱进行搬运。

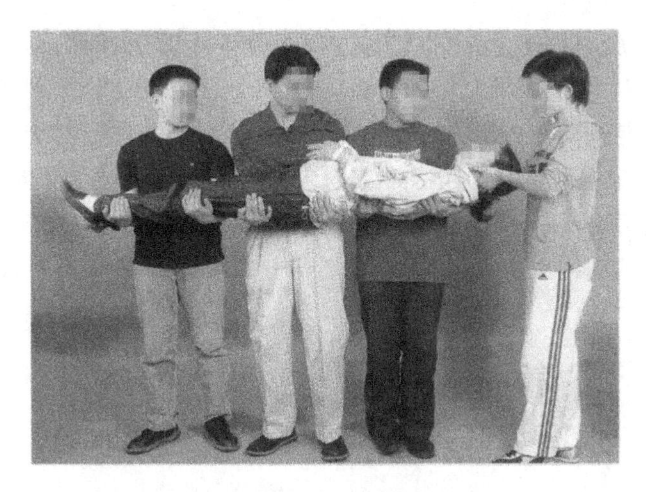

图 6-37　多人搬运法

（5）特殊伤员的搬运方法

① 腹部内脏脱出的伤员。将伤员双腿屈曲，使腹肌放松，防止内脏继续脱出。已脱出的内脏严禁回纳腹腔，以免加重污染。先用大小合适的替代物扣住内脏或取腰带做成略大于脱出物的环，围住脱出的内脏，然后用腹部三角巾包扎法包扎。包扎后伤员取仰卧位，下肢屈曲，并注意腹部保暖，以防肠管过度胀气。然后再行担架或徒手搬运。

② 昏迷伤员。使伤员侧卧或俯卧于担架上，头偏向一侧，以利于呼吸道分泌物的引流。

③ 盆骨损伤的伤员。先将骨盆用三角巾或大块包扎材料做环形包扎后，让伤员仰卧于硬质担架或门板上，膝微屈，膝下加垫。

④ 脊柱、脊髓损伤的伤员。搬运此类伤员时，应使脊柱保持伸直，严禁颈部与躯干前屈或扭转。对于颈椎受伤的伤员，一般由 4 人一起搬运，1 人专管头部的牵引固定，保持头部与躯干成一条直线，其余 3 人蹲于伤员的同一侧，2 人托躯干，1 人托下肢，4 人一起将伤员抬起放在硬质担架上，伤员头部两侧需用沙

袋固定,并用带子分别将伤员胸部、腰部、下肢与担架固定在一起。对于胸、腰椎受伤的伤员,可由 3 人于伤员身体一侧搬运,方法与颈椎受伤伤员的搬运法相同。

⑤ 身体带有刺入物的伤员。应先包扎伤口,妥善固定好刺入物后,方可搬运。搬运途中避免震动、挤压、碰撞,防止刺入物脱出或继续深入。刺入物外露部分较长时,应有专人负责保护。

(张利远　臧　宏)

第7讲 电击伤的急救

【案例介绍】 患者，男，30岁，校内施工人员。因电击所致呼吸、心跳停止30分钟急送医院急诊科。患者于30分钟前电焊时，手持钢筋触到电源，当即被击倒，抽搐片刻后昏迷，呼吸心跳停止，工友们发现后手足无措下，切断电源，安排出租车送往医院。医师检查发现患者面色青紫、无意识、无心搏、无呼吸、双瞳孔散大固定，已经死亡。仍然给予抢救半小时后，中止抢救。

电击伤是指人体直接或间接接触电源时，一定量的电流通过身体而引起机体损伤或功能障碍甚至死亡。不论是电流还是静电的电能量，均可引起电击伤。高压、超高压情况下，电流亦可间接(通过空气或其他介质)电击人体。现代社会人们在生产劳动和生活中都要与电打交道，甚至有时会触碰到被破坏的高压电线，加上对安全用电缺乏认识，电击伤事件经常发生，是常见的急诊急症，应引起重视。

一、电击伤主要因素

电击伤有电源进口和出口，进口为人体接触电源处，出口为身体着地处。电流对人体的主要作用有：① 化学作用：通过离子运动引起肌肉收缩、神经传导异常等。② 热效应：电能转变为热能、引起组织、器官的烧伤。电击伤的严重程度与电流种类和强度、电压高低、皮肤及其他组织电阻大小、触电时间长短、电流在人体内的径路、个体健康状况等因素有关。

(1) 电流的种类和强度:就电的种类而言,交流电比直流电对人体的损伤更大。人体接触频率为50 ~ 60 Hz 的交流电时,不同的电量对人体产生不同的症状:电流强度2 mA 有麻刺感;8 ~ 12 mA有刺痛感、肌肉收缩现象;20 mA 有肌肉强直性收缩、呼吸困难症状;25 mA以上如通过心脏,可致心室纤颤或心搏停止;90 mA以上电流通过脑部,触电者立即失去知觉。闪电击中人体后,虽可发生心室纤颤,但这种高电流(5 000 ~ 200 000 A)通常使心跳停搏,随之可能恢复为正常心律,而呼吸停止的时间则长而持续。因此,抢救闪电击伤时,必须进行持续人工呼吸为主的心肺复苏。

(2) 电压的高低:一般认为电压低于24 V时,对人体是安全的,超过40 V则可能有危险。低压一般指1 000 V以下的电压,它可致心室纤颤、心搏骤停。1 000 V 以上为高压电,它可致呼吸肌强直性收缩,甚至呼吸停止。

(3) 触电部位的电阻及通过途径。

(4) 触电时间长短:触电时间越长机体受损越严重。低压电击时电流持续时间大于4 分钟,呼吸停止且难以恢复。

二、临床表现

电击伤的临床表现轻重不一,轻者从皮肤发麻到表皮烧伤引起组织损伤、骨折和功能障碍、急性肾衰,重者可发生心搏骤停和呼吸停止,甚至死亡。

1. 症状与体征

(1) 局部表现:轻者局部发麻;重者皮肤灼伤,局部渗出较一般烧伤重,包括筋膜腔内水肿。有"入口"和"出口"体征特点,入口处常呈炭化,形成洞穴,多累及肌肉、肌腱、神经、血管、骨骼,损伤范围外小内大。深部组织呈夹心坏死,坏死层面不明显。电击伤及血管时可继发出血或营养障碍,伤口久经不愈。邻近血管常受损害,出现进行性坏死,伤后坏死范围可扩大数倍。需要注意的是有时表面烧伤轻微,而深部损伤可达肌肉、神经、血管,甚至骨骼。随着病情发展,可在一周或数周后出现坏死、感染、出血等。有些电击伤者身体可见各种花纹,患者所带指环、手表、项链或腰带处可有较深的烧伤。

(2) 全身情况:主要是中枢神经系统受抑制,尤其是植物神经系统。轻者出现头晕、心悸、皮肤苍白、口唇发绀,惊恐和四肢无力,部分患者出现抽搐、肌肉疼痛。中度者呼吸浅快、心动过速及期前收缩,短暂意识障碍。较重者出现持续抽搐、肌肉强直、尖叫、阴茎勃起、休克、昏迷,甚至心跳呼吸停止,立刻死亡。

(3) 电击伤后综合征:胸部不适、毛发改变、月经紊乱、性格改变。其他神经系统症状可有眩晕、神经过敏、脊髓损伤等。

2. 并发症

电击伤可引起永久性失明或耳聋;短期精神异常;周围神经病变可致肢体瘫痪;局部组织烧伤坏死继发感染;内脏破裂或穿孔;肢体剧烈的强直性肌肉收缩或电击后伤者从高处坠下可致骨折;由于大量深部组织的损伤、坏死,肌间隙液的大量渗出、肿胀、筋膜内压力增加可影响局部血液循环,使肢体远端缺血,造成肌肉不可逆的损伤和坏死,释放出大量的肌红蛋白及血红蛋白,当经肾脏排出时,尿呈葡萄酒色或酱油色,可导致肾小管阻塞,引起急性肾功能衰竭;妊娠期妇女被电击后可发生流产或死胎。

三、急救要点

急救原则:立即使患者脱离电源,检查伤情,呼吸心跳停止者立即给予心肺复苏术,对症治疗、处理外伤和防治并发症。挽救生命优先于保全肢体，维持功能优先于恢复结构。

（1）立即脱离电源，防止进一步损伤。救助者切勿以手直接推拉、接触或以金属器具接触伤者，以保自身安全。最妥善的方法为立即切断电源。但对接触某些携带有巨大残余电力的电容器性能的电力设备而被电击的伤者，以及电源开关离现场太远或仓促间找不到电源开关时，可用干燥的木器、竹竿、扁担、橡胶制器、塑料制品等绝缘物将伤者与有关设备电线或电器分开，或用木制长柄的刀斧砍断带电电线切断电源后，救助者方可接触伤者。但应认识到，木棍、皮带、橡胶手套、绝缘工具等并不是绝对安全的，尤其是在潮湿或高电压的情况下。分开了的电器仍处于带电状态，不可接触。

（2）现场心肺复苏：迅速把伤者转移到安全地带，并做伤情判断。对已发生或可能发生心跳或呼吸停止者，应立刻分秒必争地进行心肺复苏，可望及时挽救生命，降低或减少后遗症或并发症。

（3）对症治疗及防治并发症：对于较轻的电击伤患者，经一般对症处理即可。对于严重的电击伤患者，尤其是有合并症的患者，应尽快转入 EICU 进行监护治疗，针对不同的并发症做出相应的处理。

（4）处理外伤：对有明显电灼伤或合并其他部位损伤的患者，应及时做出相应的处理，早期切开减张，包括筋膜切开减压。如对有较大烧伤创面患者，应保护灼伤创面，防止污染和进一步损伤。对合并有四肢骨折者，在搬运过程中应注意适当固定，保护患肢。此外，腹壁电击伤致胆囊坏死、肠穿孔、肝损伤、胰腺炎等；头部电击伤致头皮损伤、颅骨外伤，甚至全层颅骨坏死等，应及时给予相应的处理。

本案例为电击致死亡。如现场能给予心脏按压和人工呼吸,则有生存的希望,可惜患者到达医院时心跳已停止30分钟,无法挽救生命。

现场该如何进行急救?

① 迅速脱离电源及拨打120。

② 保持呼吸道通畅,维持有效呼吸。

③ 对心搏呼吸骤停者立即实行心肺复苏术。

④ 创面给予包扎处理。

(吴　阳　张利远)

第8讲 淹溺的急救

【案例介绍】 某夏日下午，一防汛巡逻员在河边巡逻时，忽然听到呼救声。他循声前往现场，发现有人溺水，立即下水进行施救，周围的群众马上拨打110报警。经过努力，大家先后将两名学生救了上来，但是被救学生说，水里面还有一个人。救援人员从附近找来了一艘渔船进行搜救，终于在离救援处几米远的地方，找到了第三名学生。救援人员立即将其送往医院进行抢救，但医生判断该学生已溺亡。

溺水是怎么回事？发现有人淹溺时，我们该怎么办？救护车到来之前我们又能够做些什么？

淹溺，又称溺水，指人淹没于水中，水充满呼吸道和肺泡引起窒息，进入血液循环的水引起血液渗透压改变、电解质紊乱和组织损害，最后造成呼吸停止和心脏停搏而死亡。淹溺后窒息合并心脏停搏者称为溺死。不慎跌入粪坑、污水池或化学物贮槽时，可引起皮肤和黏膜损害及全身中毒。

一、淹溺发生机理

发生淹溺后，人会本能地屏气，以免水进入呼吸道。不久，由于缺氧，淹溺者不能继续屏气，水随着吸气进入呼吸道和肺泡，引起严重缺氧、高碳酸血症和代谢性酸中毒。淹溺可有两种情况：干性淹溺和湿性淹溺。

1. 干性淹溺

人入水后，因受强烈刺激（惊慌、恐惧、骤然寒冷等），引起喉头痉挛，以致呼吸道完全梗阻，造成窒息死亡。喉头痉挛导致窒息时，呼吸道和肺泡很少或无水吸入。当喉头痉挛时，心脏可反射性地停搏，也可因窒息、心肌缺氧而致心脏停搏。所有溺死者中约10% ~40%为干性淹溺（尸检发现溺死者中仅约10%吸入相当量的水）。

2. 湿性淹溺

人淹没于水中，由于缺氧不能坚持屏气而被迫深呼吸，从而使大量水进入呼吸道和肺泡，阻滞气体交换，引起全身缺氧和二氧化碳潴留，呼吸道内的水迅速经肺泡进入血液循环。由于淹溺的水所含的成分不同，引起的病理生理变化也有差异。

（1）淡水淹溺。淡水进入血液循环，稀释血液，引起低钠、低氯和低蛋白血症；血中的红细胞在低渗血浆中破碎，引起血管内溶血，导致高钾血症，心室颤动而致心脏停搏；溶血后过量的游离血红蛋白堵塞肾小管，引起急性肾功能衰竭。

（2）海水淹溺。海水含3.5%氯化钠及大量钙盐和镁盐，对呼吸道和肺泡有化学性刺激作用。肺泡上皮细胞和肺毛细血管内皮细胞受海水损伤后，大量蛋白质及水分向肺间质和肺泡腔内渗出，引起急性非心源性肺水肿。高钙血症可导致心律失常，甚至心脏停搏。高镁血症可抑制中枢和周围神经，导致横纹肌无力、血管扩张和血压降低。

（3）温水与冷水溺死有显著差别。无氧后4 ~6分钟发生脑死亡的概念不适用于冷水中近乎溺死的病例。冷水中（水温低于20 ℃），某些患者心脏停搏30分钟后仍可复苏（但在水中超过60分钟则不能再复苏）。复苏可能的原因可归为哺乳类动物的潜水反射。人潜入冷水时可迅速发生反应，表现为呼吸抑制、心率减慢，对窒息相对有阻力的组织出现血管收缩，以保持大脑及心脏的血液供应，此刻，氧只送到持续生命所需的组织中使用。水越冷，越多的氧被送到心脏及脑。潜水反射也可因恐惧引起，且年轻人的潜水反射更突出。水温低于 20 ℃，身体的代谢需要仅为正常的一半。因此，水越冷，存活的机会越大。

二、急救要点

1. 自救

落水后千万不要慌乱，应保持头脑清醒。迅速采取仰面位，头顶向后，口向上方，尽量使口鼻露出水面，以便能够进行呼吸；呼吸时，呼气宜浅，吸气宜深，这能使身体浮于水面，以待他人施救。千万不可将手上举或拼命挣扎，这样反而容易使人下沉。

会游泳者若因小腿腓肠肌痉挛（抽筋）而致淹溺，应息心静气，及时呼救以求得援助。同时，应将身体抱成一团，浮上水面，深吸一口气，再把脸浸入水中，将痉挛（抽筋）的下肢拇趾用力向前上方抬，使之跷起，持续用力，直到疼痛消失，痉挛也就停止。

2. 互救

救护者应保持镇静，尽可能脱去外衣裤，尤其要脱去鞋靴，迅速游到淹溺者附近。对于筋疲力尽的淹溺者，救护者可从头部接近；对神志清醒的淹溺者，救护者应从背后接近，用一只手从背后抱住淹溺者的头颈，另一只手抓住淹溺者的手臂游向岸边。救援时救护者要防止被淹溺者紧抱缠身而双双发生危险，如被抱住，应放手自沉，从而使淹溺者手松开，以便再进行救助。

3. 医疗急救

(1) 清除口鼻淤泥、杂草、呕吐物等，打开气道。

(2) 倒水（见图 8-1）。常用的倒水方法有：

① 膝顶法。将淹溺者腹部置于抢救者屈膝的大腿上，头部向下，按压背部迫使其呼吸道和胃内的水倒出，但不可因倒水时间过长而延误复苏。

② 抱腹法和肩顶法。由施救者抱起淹溺者腰腹部，或用肩顶住腰腹部，扛起淹溺者，使背部朝上，头部下垂予以倒水。

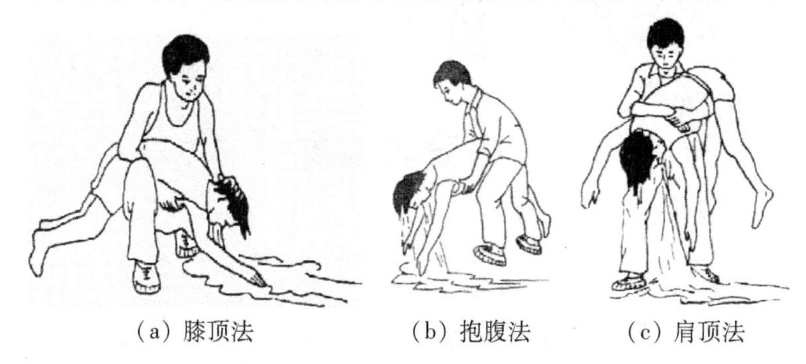

(a) 膝顶法　　(b) 抱腹法　　(c) 肩顶法

图 8-1　倒水的方法

(3) 对呼吸、心搏停止者应迅速进行心肺复苏。

4. 药物急救

淡水淹溺用3%生理盐水500 mL静脉滴注；海水淹溺用5%葡萄糖500～1 000 mL静脉滴注，或用右旋糖酐500 mL静脉滴注。此外，糖皮质激素可防治脑水肿、肺水肿、急性呼吸窘迫综合征，并能减轻溶血反应。

5. 其他对症治疗

心力衰竭者可用西地兰和速尿静脉注射；肺部感染者应选用作用强的抗生素；脑水肿、肺水肿、溶血反应者应用糖皮质激素；急性肾功能衰竭者可用20%甘露醇、速尿；可酌情使用呼吸兴奋剂。

> 本案例为淹溺，夏天常见。重视现场急救，才会有生还可能。急救的核心操作：畅通气道、倒水和心肺复苏。

（余海洋　张利远）

第9讲 中暑的急救

【案例介绍】 某夏日中午，在高温环境下作业的36岁男性，突然出现头痛、头晕、口渴、多汗的症状。其四肢无力发酸、注意力不集中、动作不协调，随后逐渐出现四肢无力，神志模糊，甚至晕倒昏迷。随后立即送往医院急救，诊断为重症中暑。

中暑是在暑热天气、湿度大及无风的环境条件下，主要以体温调节中枢功能障碍、汗腺功能衰竭和水电解质丧失过多为特征的疾病。

一、中暑的病因

中暑的原因非常多。在高温的车间工作，如果通风差，则极易发生中暑；农田或露天作业时，由于受阳光直接暴晒，再加上地表温度升高，易使人的脑膜充血，大脑皮层缺血而引起中暑；空气中湿度的增加也易诱发中暑。此外，精神过度紧张、人员过于密集、工作强度过大、时间过长、睡眠不足、过度疲劳等均为中暑的常见诱因。年老、体弱、肥胖、饮酒、饥饿、失水、失盐、穿着紧身不透气的衣裤，以及发热、甲状腺功能亢进、糖尿病、心血管病、广泛皮肤损害、先天性汗腺缺乏症和服用阿托品或其他抗胆碱能神经药物而影响汗腺分泌等，都是中暑的发病因素。

二、发病机理

正常人体在下丘脑体温调节中枢的控制下，产热和散热处于动态平衡，维持体温在37 ℃左右。在运动时，机体代谢加速，产热增加，人体借助皮肤血管扩张、血流加速、汗腺分泌增加及呼吸加快等，将体内产生的热量送达体表，通过辐射、传导、对流及蒸发等方式散热，以保持体温在正常范围内。当气温超过皮肤温度（一般为32～35 ℃），或环境中有热辐射源（如电炉、明火），或空气中湿度过高而又通风不良时，机体内的热量难以通过辐射、传导、蒸发、对流等方式散发，甚至还会从外界环境中吸热，造成体内热量储积，从而引起中暑。

根据发病机理和临床表现不同，通常将中暑分为热痉挛、热衰竭和热（日）射病。上述3种情况可顺序发展，也可交叉重叠。其中，热（日）射病是一种致命性疾病，病死率较高。

三、中暑程度判断

中暑按病情轻重可分为3种情况。

1．先兆中暑

在高温环境下，人体可能出现头晕、眼花、耳鸣、恶心、胸闷、心悸、无力、口渴、大汗、注意力不集中、四肢发麻等症状，此时体温正常或稍高，一般不超过37.5 ℃，此为先兆中暑的表现，若及时采取措施，如迅速离开高温现场等，多能阻止中暑的发展。

2．轻度中暑

轻度中暑除有先兆中暑表现外，还有面色潮红或苍白、恶心、呕吐、气短、大汗、皮肤热或湿冷、脉搏细弱、心率增快、血压下降等呼吸、循环衰竭的早期表现，此时体温超过38 ℃。

3．重度中暑

重度中暑者除先兆中暑、轻度中暑的表现外，还伴有昏厥、昏迷、痉挛或高热，其症状可分为以下3种。

（1）热衰竭：体内没有大量积热，中暑者可出现面色苍白、皮肤湿冷、脉搏细弱、呼吸浅而快、晕厥、昏迷、血压下降等症状。

（2）热痉挛：与高温无直接关系，而是发生在剧烈劳动或运动后。由于大量出汗后只饮水而未补充盐分，导致血钠、血钾、氯化物降低，而引起阵发性疼痛性肌肉痉挛（俗称抽筋）、口渴、尿少，但体温正常。

（3）热（日）射病：即强烈的阳光照射头部，造成颅内温度增高。中暑者出现剧烈头痛、头晕、恶心、呕吐、耳鸣、眼花、烦躁不安、神志障碍，重者发生昏迷，体温可轻度升高。

四、现场急救

中暑急救措施如图 9-1 所示。

（1）脱离高温环境。迅速将中暑者转移至阴凉通风处休息，使其平卧，头部抬高，松解衣扣。

（2）补充液体。如果中暑者神志清醒，并无恶心、呕吐，可饮用含盐的清凉饮料、茶水、绿豆汤等，以起到既降温又补充血容量的作用。

（3）人工散热。可采用电风扇吹风等散热方法，但不能直接对着患者吹风，防止造成感冒。

（4）冰敷或头部冷敷。在患者头部、腋下、腹股沟等大血管处放置冰袋（可将冰块、冰棍、冰激凌等放入塑料袋内，密封即可），并可用冷水或 30% 酒精擦浴直到皮肤发红。

（5）每 10～15 分钟测量 1 次体温。观察患者的脉搏率，若在每分钟 110 次以下，则表示体温仍可忍受，若达到 110 次以上，应停止降温，观察约 10 分钟后，若体温继续上升，再重新给予降温。

（6）患者恢复知觉后，可喂其盐水，但不能给予刺激性食物。此外，依患者的舒适程度，身上可以加覆盖物。

(a) 脱离高温环境

(b) 头、腋下、腹股沟冰敷

(c) 补充液体

图 9-1　中暑急救措施

本案例为重症中暑，经住院积极治疗而愈。如果在高温季节出现头晕、眼花、耳鸣、恶心、胸闷、心悸、无力、口渴、大汗、注意力不集中等先兆中暑症状，应考虑中暑，早发现、早干预。

（余海洋）

第10讲 咯血的急救

【案例介绍】 患者，女，教师，1天前出现无明显诱因的咯血，为鲜红色，量约10 mL，并伴有左侧胸部隐痛，呈阵发性发作，自述夜间偶有低热、盗汗，咯血后出现轻度干咳，无呼吸困难不适，遂来医院就诊，诊断为咯血，住院治疗。

咯血指喉及喉以下部位出血（环状软骨为界）并被咯出或吞咽。

大咯血指每次咯血超过100 mL或24小时咯血超过500 mL，但部分人出血后将血吞咽入胃，或因无力咯出而积存于气道，因此咯血数量不足以反映实际病灶，若有面色苍白、冷汗、血压下降等危重病况，仍视为大咯血。

一、病因及发病机理

咯血原因很多，主要见于呼吸系统和心血管疾病。

（1）源于支气管疾病：常见有支气管扩张症、支气管肺癌、支气管内膜结核和慢性支气管炎等，其发生机制主要是炎症、肿瘤、结石致支气管黏膜或毛细血管通透性增加，也可能是黏膜下血管破裂所致。

（2）源于肺部疾病：常见于肺结核、肺炎、肺脓肿等疾病，较少见于肺瘀血、肺梗死、肺寄生虫病、肺真菌病、肺泡炎。在我国引起咯血的首要原因仍为肺结核。

(3) 源于心血管疾病:较常见于二尖瓣狭窄,其次为先天性心脏病所致肺动脉高压或原发性肺动脉高压,另有肺栓塞、肺血管炎、高血压病、血管畸形、心肺血管相通等。心血管疾病引起的咯血表现为小量咯血或痰中带血、大量咯血、粉红色泡沫样血痰和黏稠暗红色血痰。

(4) 其他病源:风湿类疾病,包括结缔组织病(风湿类疾病是一大范畴,引起咯血主要是累及肺的肺血管炎所致);肺血管畸形及先天肺结构异常;非感染性肺炎(如尘肺、外源性过敏性肺泡炎、过敏性肺炎、肺微石病等);血液病,影响出、凝血机制及各种原因所致 DIC(弥散性血管内凝血)。

(5) 引起咯血的物理因素:震荡肺、胸部外伤、肺外科手术及气管断裂。

二、临床特征

1. 年龄

青壮年咯血常见于肺结核、支气管扩张、二尖瓣狭窄等。40 岁以上有长期吸烟史者(每天吸烟 20 支,烟龄 20 年以上),应高度注意支气管肺癌的可能性。儿童慢性咳嗽伴少量咯血与低色素贫血有关,须注意特发性含铁血黄素沉着症的可能。

2. 咯血量

咯血量大小的标准尚无明确的界定,但一般认为每日咯血量在 100 mL 以内为小量,100 ~ 500 mL 为中等量,500 mL 以上或一次咯血 100 ~ 500 mL 为大量。大咯血主要见于空洞型肺结核、支气管扩张和慢性肺脓肿。支气管肺癌少有大咯血,主要表现为痰中带血,呈持续或间断性。慢性支气管炎和支原体肺炎也可以出现痰中带血或血性痰,常伴有剧烈咳嗽。

3. 颜色和性状

因结核、支气管扩张症、肺脓肿和出血性疾病所致咯血，其颜色为鲜红色；铁锈色血痰可见于典型的肺炎球菌肺炎，也可见于肺吸虫病和肺泡出血；砖红色胶冻样痰见于典型的肺炎克雷伯杆菌肺炎；二尖瓣狭窄所致咯血多为鲜红色；左心衰竭所致咯血为浆液性粉红色泡沫痰；肺梗死引起咯血为黏稠暗红色血痰。

三、防治与急救

1. 痰中带血或小量咯血

对症治疗为主，休息，镇静，必要时给予止咳、止血剂及病因治疗。

2. 中量或大咯血

(1) 基本治疗：卧床休息，保持气道通畅，注意体位（患侧卧位），轻轻将气管内存留的积血咳出。吸痰，吸血，酌情补液。若大咯血应及时输血，帮助消除紧张情绪，防治感染及病因治疗等。

(2) 药物治疗

① 垂体后叶素：可收缩肺小动脉，降低肺静脉压而止血。

② 扩血管药：降低肺动脉压，减少肺血流量，肺血流入扩张的四肢、躯干血管，起到"内放血"作用。常用扩血管药有普鲁卡因、酚妥拉明、阿托品、654-2、冬眠灵、催产素、心痛定等，单用、合用均可。

③ 皮质激素：增加血管能力，减少渗出，降低肝素水平，主要用于结核及炎症出血。

④ 一般止血药：作用于出、凝血障碍，对大咯血已止住、小量出血者适用。如6-氨基己酸、安络血、维生素 K、云南白药、止血粉等。

⑤ 其他：如10%高渗盐水 20 mL；肿瘤患者并大咯血，可局部放射治疗。

(3) 纤支镜局部止血。由纤支镜注入止血剂如肾上腺素加冷盐水、凝血酶原或纤维蛋白原等,不宜用于大咯血。

(4) 支气管动脉栓塞。此方法适应于反复咯血、部位不定、不宜手术、保守治疗无效、诊断不明、肺切除后出血。

(5) 手术及其他。手术一般是为了根除病因,同时停止咯血。如明确的单侧支扩有手术指征者、肺空洞性结核、肺脓疡、肺曲菌球、拟行手术的肺肿瘤。

3. 咯血窒息的抢救

窒息是大咯血的主要致死原因。防止咯血窒息应注意先兆症状,尤其是年幼、老、弱者。抢救的关键在于疏通呼吸道,维持肺功能。咯血窒息抢救时,应立即体位引流,可取头低脚高45°俯卧位,迅速排出积血;用较粗有侧孔的鼻导管插入气道,边进边吸,尽量深达隆突;必要时尽快用硬质气管镜进行吸引。呼吸停止时应用人工辅助呼吸、给氧、输液、输血等。

以上措施仅用来治疗咯血,但不要忘记病因治疗,尽快明确咯血病因,从病因上治疗才能根治。

本案例患者的咯血病因为肺结核,经积极抗结核治疗而愈。引起咯血的常见疾病有支气管扩张、肺结核、肺癌等。一般而言,年轻人咯血多见于支气管扩张;老年人咯血多见于肺癌;有结核病史或有与结核患者密切接触史者应考虑为肺结核病。

(郭培培　张利远)

【案例介绍】 某农村中学教师,37岁,5天前感上腹隐痛,大便呈柏油状,午饭时忽呕吐暗红色血液500 mL,伴头昏、心悸、出冷汗,血压下降;既往有血吸虫病病史多年。来院检查,诊断为血吸虫病肝硬化引起的食管静脉曲张破裂出血,随后住院治疗。

呕血是上消化道(指屈氏韧带以上的消化道,包括食管、胃、十二指肠、肝、胆、胰)或全身性疾病所致的上消化道出血,血液经口腔呕出。常伴有黑便,严重时可有急性周围循环衰竭的表现。

一、病因

1. 消化系统疾病

(1) 食管疾病:反流性食管炎、食管憩室炎、食管癌、食管异物、食管贲门黏膜撕裂、食管损伤等。

(2) 胃及十二指肠疾病:最常见为消化性溃疡,其次为急性糜烂出血性胃炎及服用非甾体药物(如阿司匹林、消炎痛等)和应激所引起的急性胃十二指肠黏膜病变;胃癌、胃泌素瘤及其他少见疾病,如平滑肌瘤、平滑肌肉瘤、淋巴瘤、息肉、胃扭转、憩室炎、结核、克罗恩病等。

（3）门脉高压引起的食管胃底静脉曲张破裂或门脉高压所致胃病出血，食管异物戳穿主动脉可造成大量呕血，并危及生命。

2．上消化道邻近器官或组织的疾病

胆道结石、胆道蛔虫、胆囊癌、胆管癌及壶腹癌出血均可引起大量血液流入十二指肠导致呕血。此外还有急慢性胰腺炎，胰腺癌合并脓肿破溃，主动脉瘤破入食管、胃或十二指肠，纵隔肿瘤破入食管等也可引起呕血。

3．全身性疾病

（1）血液疾病及其他凝血机制障碍等。

（2）感染性疾病：流行性出血热、钩端螺旋体病、登革热、暴发型肝炎、败血症等。

（3）结缔组织病：系统性红斑狼疮、皮肌炎、结节性多动脉炎累及上消化道。

（4）其他：尿毒症、肺源性心脏病、呼吸功能衰竭等。

4．某些药物引起的出血

某些激素类及保泰松和其他药物可引起出血（呕血），如阿司匹林、咖啡因、呋喃妥因、洋地黄及氨茶碱等。

呕血的原因很多，但以消化性溃疡引起的最为常见，其次为食管或胃底静脉曲张破裂，再次为急性糜烂性出血性胃炎和胃癌，判断呕血的病因时，应首先考虑上述4种疾病。当病因未明时，也应考虑一些少见疾病原因，如上消化道肿瘤、血管畸形、血友病、原发性血小板减少性紫癜等。

二、临床表现及对机体的影响

1．呕血与黑便

呕血前常有上腹部不适和恶心，呕吐出血伴随胃内容物，其颜色视出血量的多少及在胃内停留时间的长短及出血部位的不同而不同。

若出血量多、在胃内停留时间短、出血部位位于食管,则血色鲜红或混有血凝块,或呈暗红色;若出血量较少或在胃内停留时间长,则因血红蛋白与胃酸作用形成酸化正铁血红蛋白,呕吐物可呈棕褐色咖啡渣样。

呕血的同时因部分血液经肠道排出体外,可致便血或形成黑便。

2. 失血性周围循环障碍

上消化道出血患者随出血量多少而症状不一:出血少时,除头晕、畏寒外,多无血压、脉搏的变化;出血量大时,则有冷汗、四肢厥冷、心慌、脉搏增快等急性失血症状,甚至有急性周围循环衰竭的表现,如脉搏频数微弱、血压下降、呼吸急促及休克等。

3. 血液学改变

呕血的血液学改变最初可能不明显,随后由于组织的渗出及输液等原因,血液被稀释,血红蛋白及红细胞比容逐渐降低。

4. 其他

大量呕血可出现氮质血症、发热等症状。

三、呕血症状的估判

对出血量的估计和周围循环状态的判断对呕血病情的应对十分重要。

据研究,成人每日消化道出血 5 ~ 10 mL,粪便隐血试验将出现阳性;每日消化道出血 50 ~ 100 mL,可出现黑便。胃内储积血量在 250 ~ 300 mL 可引起呕血。

一次出血量不超过 400 mL 时,因轻度血容量减少可由组织液及脾脏储血补充,一般不引起全身症状。出血量超过 400 mL,可出现全身症状,如头昏、心慌、乏力等。短时间内出血量超过 1 000 mL,可出现周围循环衰竭表现。

对急性大出血严重程度的估判,最有价值的指征是血容量减少所致的周围循环衰竭的临床表现，而周围循环衰竭又是急性大出血导致死亡的直接原因。因此，对急性消化道大出血患者，应将对周围循环状态的有关检查放在首位，并据此做出相应的紧急处理。血压和心率是关键指标，需进行动态观察，并综合其他指标加以判断。如果患者由平卧位改为坐位时出现血压下降、心率加快，则提示血容量明显不足，这是紧急输血的指征。如收缩压低于 90 mmHg、心率大于 120 次/分，伴有面色苍白、四肢厥冷、烦躁不安或神志不清，则提示患者已进入休克状态，属严重大量出血，需积极抢救。

四、急救要点

维持生命体征、止血、抗休克及针对病因治疗是呕血急救的关键。

1. 一般急救措施

卧床，密切观察患者血压、脉搏、呼吸、心率、尿量、神志等生命体征，必要时（如有条件）给予心电监护及危重症监护，吸氧，在活动性出血期禁食。定期检查血红蛋白浓度、血细胞比容等。

2. 积极补充血容量及抗休克

根据病情给予输液、输血，补充血容量等救护，可先用生理盐水或林格液。如收缩压低于 90 mmHg 或血红蛋白低于 70 g/L，应尽快输全血。肝硬化患者尽量输新鲜血，这是由于库存血含氮较多，易导致肝性昏迷；纠正酸碱代谢失衡。

3. 采取有效的止血措施

（1）局部药物。将去甲肾上腺素加入生理盐水中分次口服；凝血酶粉用生理盐水稀释后分次口服；应用抗酸剂，如 H_2 受体阻滞剂及质子泵抑制剂（西咪替丁、奥美拉唑等）；止血剂、促凝血剂等（如止血敏、止血芳酸、凝血酶原等）；用生长抑素抑制胃酸，降低内脏血流量。

（2）内镜下止血。可在明确病因的基础上行内镜电凝、微波、激光、血管硬化注射、血管套扎等内镜下治疗。

(3) 食管胃底静脉曲张破裂出血可以采用:① 三腔二囊管压迫止血;② 静脉滴注垂体后叶素;③ 经颈静脉肝内门体分流术。

(4) 外科治疗。经内科积极止血治疗无效者或反复多次上消化道大出血者,应行外科手术治疗。

本案例为餐后出血,根本原因是肝硬化致呕血。除了疾病本身原因外,由于进食快且食物粗糙,损伤了食管、胃底静脉血管而引起大出血。

预防方法:① 进食时忌过热、过快、过硬及粗糙食物,必须细嚼慢咽。

② 忌食酸性较高食物以减少对曲张静脉血管壁的刺激。

③ 积极治疗原发病,保护肝脏并忌酒及对肝脏有害的药物等。

(郭培培)

第12讲 休克的急救

【案例介绍】 患者,36岁,小学教师,上班途中因骑自行车时被汽车撞伤,伤后感左季肋部(左上腹部)疼痛,头晕、无力,半小时后被急送到医院。体格检查:心率115次/分、呼吸24次/分、血压80/55 mmHg,痛苦面容、面色苍白、表情淡漠、四肢湿冷,腹胀、全腹轻度压痛、反跳痛和肌紧张,以左上腹明显,移动性浊音阳性,肠鸣音减弱。辅助检查:腹腔穿刺抽出不凝固的血液。即予积极抗休克同时准备急诊手术,予以迅速建立静脉通路,快速输液,保持呼吸道通畅,清除呼吸道异物、吸氧,监测患者的生命体征,转手术治疗。术后诊断:脾破裂、失血性休克。

一、休克的类型及原因

1. 低血容量性休克

15分钟内失血少于全血量的10%时,机体能够通过代偿保持血压和组织血液灌流量处于稳定状态,但若迅速失血超过总血量的20%,可引起休克,超过总血量的50%往往迅速导致死亡。体液大量丢失使有效循环血量锐减,也可导致休克。常见于大面积烧伤、剧烈呕吐、腹泻、肠梗阻、大量出汗等。

2. 感染性休克

严重感染引起的休克称为感染性休克。最常见的致病原因为革兰氏阴性菌感染，约占感染性休克病因的75%。细菌内毒素在此型休克中具有重要作用，故又称内毒素性休克。重度感染性休克常伴有败血症，故也称为败血症性休克。

3. 过敏性休克

某些药物（如青霉素）、血清制剂或疫苗等过敏可引起过敏性休克。

4. 心源性休克

大面积急性心肌梗死、弥漫性心肌炎、心包填塞、严重心律失常等疾病均可使心泵功能严重障碍，心输出量急剧减少，有效循环血量和组织灌流量下降而引起休克，称为心源性休克。

5. 神经源性休克

高位脊髓麻醉或损伤、剧烈疼痛，通过影响交感神经的缩血管功能，降低血管紧张性，使外周血管扩张、血管容量增加、循环血量相对不足，从而引起神经源性休克。

二、休克的诊断

有典型临床表现时，休克的诊断并不难，重要的是要在早期及时发现并处理。

当有交感神经-肾上腺功能亢进征象时，即应考虑休克的可能。早期症状诊断包括：① 血压升高而脉压减小；② 心率增快；③ 口渴；④ 皮肤潮湿、黏膜发白、肢端发凉；⑤ 皮肤静脉萎陷；⑥ 尿量减少（25～30 mL/h）。

临床上延续多年的休克诊断标准是：① 有诱发休克的原因；② 有意识障碍；③ 脉搏细速，超过100次/分钟或不能触知；④ 四肢湿冷，胸骨部位皮肤指压阳性（压迫后再充盈时间超过2秒钟），皮肤有花纹，黏膜苍白或发绀，尿量少于30 mL/h或尿闭；⑤ 收缩压低于80 mmHg；⑥ 脉压小于20 mmHg；⑦ 原有高血压者，收缩压较原水平下降30%以上。凡符合上述第①项，第②、③、④项中的两项和第⑤、⑥、⑦项中的一项者，可诊断为休克。

三、急救的基本措施

(1) 体位:安置患者于休克卧位即头胸部与下肢均抬高30°,抬高头胸部有利于膈肌活动,增加肺活量,使呼吸运动更接近生理状态。抬高下肢有利于增加静脉回心血量,从而增加循环血容量。

(2) 氧气吸入:鼻导管给氧,氧流量2~4 L/分钟。如患者发绀明显或发生抽搐时需加大吸氧气流量至4~6 L/分钟。吸氧可保证全身各脏器有足够的氧供,纠正组织细胞缺氧,维持各脏器功能。

(3) 快速建立两条或两条以上静脉通道:一条选择大静脉快速输液监测中心静脉压,另一条选表浅静脉缓慢而均匀地滴入血管活性药物或其他需要控制滴速的药物。

(4) 严密观察生命体征及神志、瞳孔、尿量的变化,并详细记录。

① 意识表情能够反映中枢神经系统血液灌注情况。观察患者是否有神志淡漠、烦躁等。若患者由兴奋转为抑制,提示脑缺氧加重;若经治疗后神志清楚,提示脑循环改善。

② 皮肤色泽和肢端温度反映体表灌注的情况。若皮肤苍白湿冷,提示病情加重;若皮肤出现出血点和瘀斑,提示进入DIC阶段;若四肢温暖、红润、干燥,表示休克好转。

③ 注意脉搏的速率、节律和强度。若脉律加速且细弱,为病情恶化的表现;若脉搏逐渐增强,脉律转为正常,提示病情好转。

④ 观察血压与脉压。血压下降,脉压减小,提示病情严重;血压回升或血压虽低但脉搏有力,脉压由小变大,提示病情好转。

⑤ 观察呼吸的次数,有无节律的变化。呼吸增速、变浅、不规则,说明病情恶化;呼吸增至30次/分钟以上或降至8次/分钟以下,是病情危重的表现。

⑥ 观察尿量、尿相对密度。当休克患者血压下降时，可引起肾动脉血压下降而直接影响肾的血液灌注，发生急性肾衰竭。因此，应严密观察每小时尿量与尿相对密度的变化，若每小时尿量少于 30 mL、尿相对密度增高则提示循环血量不足，而肾功能并未受到损害，应加快输液速度；若每小时尿量大于 30 mL，提示休克好转。

（5）药物使用：严格执行查对制度，以保证用药准确无误；均匀地滴注血管活性药物，以维持血压的稳定，禁忌滴速时快时慢，以致血压骤升骤降；扩血管药物必须在血容量充足的前提下应用，以防血压骤降；若患者四肢厥冷、脉细弱和尿量少，不可再使用血管收缩剂来升压，以防引起急性肾衰竭；严防血管收缩剂外渗，导致组织坏死。

（6）注意保暖：如盖被、低温电热毯，但不宜用热水袋加温，以免烫伤或使皮肤血管扩张加重休克。

本案例为外伤脾破裂休克，左上腹外伤后极易发生脾破裂，右上腹外伤后也易发生肝破裂，腰部外伤后肾脏常常会破裂，要高度重视，及早到医院诊疗。

（邢佳丽　张利远）

第13讲 昏迷的急救

【案例介绍】 患者，女，教师，有糖尿病病史，半小时前被家人发现意识不清，呼之不应，身边没有呕吐物，没有空药瓶，遂拨打120送入医院抢救室。入院后查体发现除全身大汗外无其他明显异常，血压、心跳、血氧饱和度都在正常范围，急测血糖：1.8 mmol/L，诊断为低血糖昏迷。立即给予50%葡萄糖40 mL静脉推注后，患者清醒。

昏迷就是持续的意识丧失。当人脑的正常功能受到严重干扰时，人往往会陷入无知觉的状态，大声喊叫或摇动患者均不能使其醒来，这就是昏迷的症状。昏迷可以缓慢地形成，也可以突然发生。

一、病因

导致昏迷的常见病因有：

(1) 呼吸系统失调：如窒息、一氧化碳中毒。

(2) 循环系统失调：如严重出血、心脏停搏、电击。

(3) 新陈代谢平衡失调：如血糖过高或过低。

(4) 脑部受损：如脑血管意外(中风)、脑受压、脑受震等。

(5) 其他因素：醉酒、中暑、受寒、癫痫、小儿高热惊厥等。

二、救护措施

(1) 保持昏迷者气道畅通,按额提颏,张开气道,清除其口腔内的阻塞物。

(2) 检查呼吸和脉搏,有需要时施行人工呼吸或心肺复苏。

(3) 检查患者身体各部位有没有严重受伤及骨折,若有须立即止血及处理。

(4) 记录损伤及检视患者随身的病历文件,以备参考。

(5) 若患者仍有呼吸和脉搏,而其颈和脊椎骨亦没有受伤,可使其侧卧。

(6) 注意给患者保暖,加以安慰,切勿给其进食,尽快送往医院救治。

三、昏迷的护理

1. 饮食护理

应给予患者高热量易消化的流质食物;不能吞咽者给予鼻饲。鼻饲食物可为牛奶、米汤、菜汤、肉汤和果汁等,另外也可将牛奶、鸡蛋、淀粉、菜汁等调配在一起,制成稀粥状的混合奶鼻饲,每次鼻饲量200~350 mL,每日4~5次。鼻饲时应加强患者所用餐具的清洗和消毒。

2. 保持呼吸道通畅、防止感冒

长期昏迷的患者机体抵抗力较弱,要注意保暖,防止受凉感冒。无论患者取何种卧位都要使其面部转向一侧,以利于呼吸道分泌物的引流;当患者有痰或口中有分泌物和呕吐物时,要及时吸出或抠出;每次翻身变换体位时,应轻扣患者背部,以防吸入性或坠积性肺炎的发生。

3. 预防褥疮

预防褥疮最根本的办法是定时翻身,一般每2~3小时翻身一次。另外还要及时更换潮湿的床单、被褥和衣服。

现以置患者于右侧卧位为例介绍翻身法：第一步，护理者立于患者右侧，先使患者平卧，然后将其双下肢屈起；第二步，护理者将左手臂放于患者腰下，右手臂置于其大腿根下部，然后将患者抬起并移向右侧（护理者侧），再将左手放在患者肩下部，右手放于腰下，抬起移向右侧；第三步，将患者头、颈、躯干同时转向右侧（即右侧卧位）；最后一步，在患者背部、头部各放一枕头，以支撑其翻身体位并使患者舒适（见图 13-1）。

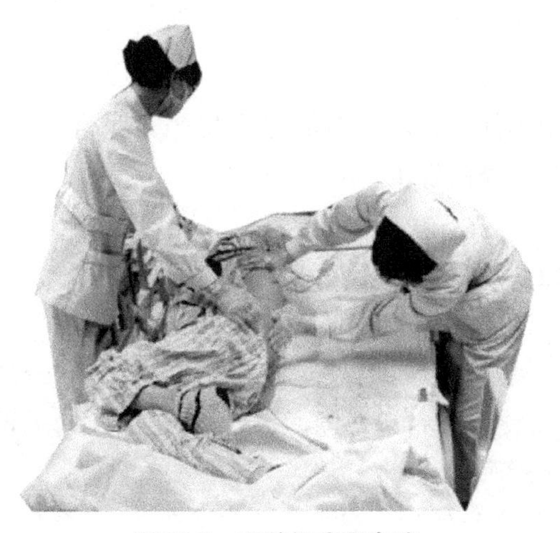

图 13-1　预防褥疮翻身法

4. 预防烫伤

长期昏迷的患者末梢循环不良，冬季时手脚容易冰凉，护理者在为其使用热水袋取暖时，一定要注意温度不可过高，一般应低于 50 ℃以防发生烫伤。

5. 防止便秘

长期卧床的患者容易便秘，为了防止便秘每天可给患者吃一些香蕉、蜂蜜和含纤维素多的食物，每日早晚给患者按摩腹部。3 天未大便者应服用麻仁润肠丸或大黄果导片等缓泻药，必要时可用开塞露帮助排便。

6. 防止泌尿系统感染

患者如能自行排尿,要及时更换尿湿的衣服、床单和被褥。如患者需用导尿管帮助排尿,每次清理患者尿袋时要注意无菌操作,导尿管要定期更换。帮助患者翻身时不可将尿袋抬至高于其卧位水平高度,以免尿液反流造成泌尿系统感染。

7. 防止坠床

应在躁动不安的患者病床上安装床挡,必要时使用保护带,防止患者坠床摔伤。

8. 预防结膜角膜炎

对眼睛不能闭合者可为其涂用抗生素眼膏并加盖湿纱布,以防结膜角膜炎的发生。

9. 其他一般护理

每天饭后用盐水给患者清洗口腔,每周擦澡 1 ~ 2 次,每日清洗外阴 1 次,隔日洗脚 1 次。

本案例系低血糖昏迷,经抢救而愈。发病原因是糖尿病管理不规范。

(贺兰兰)

中毒指有毒化学物质进入人体后达到中毒量而对人体产生损害的全身性疾病。引起中毒的化学物质称毒物。根据来源和用途,毒物可分为工业性毒物、农药、药物、有毒动植物等。根据中毒的发展过程,可分为急性中毒和慢性中毒。大量毒物短时间内经皮肤、黏膜、呼吸道、消化道等途径进入人体,致使机体受损并发生功能障碍的,称为急性中毒;多次或长期接触少量毒物,经一定潜伏期而发生的中毒,称为慢性中毒。急性中毒,发病急骤,症状严重,变化迅速,不积极治疗可危及生命。

一、常见毒物来源

据统计,引起中毒的主要毒物为镇静催眠药和抗精神病药,其次为一氧化碳、腐败变质食物和酒精(乙醇)等。城市急性中毒者的毒物常为镇静催眠药,在农村多为有机磷农药。

(1) 工业性毒物:主要是工业原材料,如化学溶剂、油漆、重金属汽油、氯气、氰化物、甲醇、硫化氢等。

(2) 农业性毒物:如有机磷农药、化学除草剂、灭鼠药、化肥等。

(3) 药物:许多药物(包括中药)服用过量均可导致中毒,如抗癫痫药、退热药、麻醉镇静药、抗心律失常药等。

(4) 动物性毒物：如毒蛇、蜈蚣、蜂类、蝎、蜘蛛、河豚、新鲜海蜇等。

(5) 食物性毒物：如过期或霉变食品、腐败变质食物、有毒食品添加剂等。

(6) 植物性毒物：如野蕈类、乌头、白果等。

(7) 其他毒物：如强酸强碱、一氧化碳、化妆品、洗涤剂、灭虫剂等。

此外，根据毒物的物理状态还可将其分为挥发性与非挥发性毒物，根据毒物吸收方式分为食入、吸入、皮肤接触、吸收性毒物等。

引起中毒的原因可归结为职业性中毒和生活性中毒两类。前者多见于慢性中毒，与其职业环境紧密相关；后者包括意外误服、服毒自杀、被投毒等。

常见的毒物吸收途径有呼吸道、消化道及皮肤黏膜。

二、常见中毒的判断

1. 了解毒物接触史

判定是否中毒时，应首先了解中毒者与毒物的接触情况。了解内容包括：

(1) 毒物种类或名称，摄入的剂量、途径、时间，出现中毒症状的时间或发现患者的时间及经过。

(2) 发病的现场情况，如有无残余可疑毒物。

(3) 对有服毒可能者，应了解其生活情况、精神状态、经常服用药物的种类，注意身边有无药瓶，家中的药物有无缺少，并估计其服药的剂量。

(4) 若疑为食物中毒，应调查同餐进食者有无同样症状发生。

(5) 对可疑一氧化碳气体中毒者，应注意观察室内炉火、烟囱及同室其他人的情况。

2. 临床表现

对突然发绀、呕吐、昏迷、惊厥、呼吸困难、休克而原因不明的人,要考虑急性中毒的可能,并立即呼叫120急救。

三、现场急救基本措施

1. 中毒的急救原则

(1) 立即脱离中毒现场。

(2) 清除体内已被吸收或尚未被吸收的毒物。

(3) 如有可能,选用特效解毒药。

(4) 对症支持治疗。

2. 现场急救

现场急救的原则是尽快去除毒物、阻止吸收。

根据中毒症状,结合其身边存留的药瓶(袋)或剩余药物,尽可能迅速弄清中毒者是因什么药物引起的中毒;疑似自杀者应寻找遗言;对小孩错服、误服药物的情况,要耐心细致询问,弄清药物的名称和服用量;紧急送往医院,运送途中应保持呼吸道通畅,防止呕吐物吸入气管,应将头转向一侧并及时清除呕吐物;对无呼吸心跳者,立即进行口对口人工呼吸和胸外心脏按压。

中毒急救的具体办法包括催吐、洗胃、导泻、解毒。

(1) 催吐。对于神志清醒的经口中毒的患者,在不耽误及时运送医院的情况下,可予以物理刺激催吐,嘱其用手指压舌根、用筷子或鸡毛等刺激咽后壁或舌根诱发呕吐。未见效时,嘱其饮温水200~300 mL,然后再用上述方法刺激呕吐。如此反复进行,直到呕出清亮胃内容物为止。

(2) 洗胃。一般在催吐后马上喝温水500 mL,再催吐,如此反复,直至救护车赶到。若中毒者已昏迷,则应取侧卧位,以免误吸。

(3) 导泻。如果患者摄入毒物已超过2~3小时,但神志清楚,则可服用泻药,促使毒物排出。一般可用大黄30 g泡饮,或番泻叶 15 g 泡饮。

(4) 解毒。根据毒物不同，服用不同的解毒剂。对于强酸强碱等腐蚀性毒物，可以服用鲜牛奶、鸡蛋清或其他含蛋白质的饮料。若是吃了变质的鱼虾等引起的食物中毒，可取食醋 100 mL，加水 200 mL，稀释后口服。

有机磷农药中毒

【案例介绍】 一老汉给果园里的苹果树喷洒杀虫药“乐果”。天气太热，他就干脆赤膊上阵喷洒农药。1 小时后，老汉就感到头晕、恶心并呕吐，腹部疼痛难忍。家人急呼 120 送往医院急诊科，经抢救老汉脱离危险，出院诊断为急性有机磷农药中毒。事后分析，原来是紧贴在后背的农药罐发生渗漏，农药透过皮肤渗透到体内引起中毒。

有机磷农药中毒时，农药经皮肤、呼吸道、消化道等途径进入人体，主要通过抑制体内胆碱酯酶活性，使人失去分解乙酰胆碱的能力，引起体内乙酰胆碱大量蓄积，使胆碱能神经持续过度兴奋，表现为毒蕈碱样、烟碱样和中枢神经系统等中毒症状和体征。严重中毒者，常死于呼吸衰竭。

1. 有机磷中毒的常见原因

(1) 生产过程原因

在杀虫药精制、出料和包装过程中，手套破损或衣服、口罩污染；生产设备密闭不严，化学物跑、冒、滴、漏；在事故抢修过程中，杀虫药通过皮肤和呼吸道吸收所致。

(2) 使用过程原因

施药人员喷洒杀虫药时，药液污染皮肤或渗透衣服由皮肤吸收，以及杀虫药挥发到空气中经呼吸道吸入；配药浓度过高或以手直接接触杀虫药原液也可引起中毒。

(3) 生活中原因

由于误服、自服或摄入被杀虫药污染的水源和食物,也有因误用有机磷杀虫药治疗皮肤病或驱虫而发生的中毒。

2. 急性有机磷中毒的临床表现

急性中毒发病时间与毒物品种、剂量和侵入途径密切相关。经皮肤吸收的有机磷中毒一般在接触2~6小时后发病,若口服中毒将在10分钟至2小时内出现症状。一旦中毒症状出现,病情发展十分迅速。

(1) 局部损害

敌敌畏、敌百虫、对硫磷、内吸磷接触皮肤后可引起过敏性皮炎,并可出现水疱和脱皮;有机磷杀虫药滴入眼部可引起结膜充血和瞳孔缩小。

(2) 毒蕈碱样症状

毒蕈碱样症状出现最早,主要是副交感神经末梢兴奋所致,类似毒蕈碱作用,表现为平滑肌痉挛和腺体分泌增加。临床表现先有恶心、呕吐、腹痛、多汗,后有流泪、流涕、流涎、腹泻、尿频、大小便失禁、心跳减慢、瞳孔缩小、支气管痉挛和分泌物增加、咳嗽、气急,严重者出现肺水肿。

(3) 烟碱样症状

乙酰胆碱在横纹肌神经肌肉接头处过度蓄积和刺激,可使面、眼睑、舌、四肢和全身横纹肌发生肌纤维颤动,甚至全身肌肉强直性痉挛。患者常有全身紧束和压迫感,而后发生肌力减退和瘫痪,呼吸肌麻痹引起周围性呼吸衰竭。交感神经节受乙酰胆碱刺激,其节后交感神经纤维末梢释放儿茶酚胺使血管收缩,引起血压增高、心跳加快和心律失常。

(4) 中枢神经系统症状

中枢神经系统受乙酰胆碱刺激后可使人头晕、头痛、疲乏、共济失调、烦躁不安、谵妄、抽搐和昏迷。

口服乐果和马拉硫磷中毒者,经急救后临床症状好转,可在数日至一周后突然再次昏迷，甚至发生肺水肿或突然死亡。症状复发可能与残留在皮肤、毛发和胃肠道的有机磷杀虫药重新被吸收，或解毒药停用过早，或其他尚未阐明的机制有关。

3. 急性有机磷中毒程度分级

急性有机磷中毒程度可分为3级。

(1) 轻度中毒

轻度中毒有头晕、头痛、恶心、呕吐、多汗、胸闷、视力模糊、无力、瞳孔缩小等表现。

(2) 中度中毒

除轻度中毒症状外，中度中毒还有肌纤维颤动、瞳孔明显缩小、轻度呼吸困难、流涎、腹痛、步态蹒跚等症状，但意识清楚。

(3) 重度中毒

重度中毒除轻度中毒和中度中毒症状外，还可出现昏迷、肺水肿、呼吸麻痹、脑水肿等。

4. 现场急救基本措施和方法

(1) 迅速清除毒物，立刻离开现场。

(2) 脱去污染的衣服，用肥皂水清洗污染的皮肤、毛发和指甲。

(3) 口服中毒者应立即送往就近医院进行洗胃，运送过程中可以用各种方法进行催吐，如刺激咽部。

(4) 眼部污染者可用2%碳酸氢钠溶液或生理盐水冲洗眼部。

镇静催眠药中毒

【案例介绍】 一位花季少女被人发现昏倒在家中，呼之不应，身旁有一个安眠药空瓶，父母紧急将其送往医院救治。医生考虑其为安眠药中毒，给予洗胃等抢救措施，后患者苏醒。原来是失恋导致女孩轻生。

镇静催眠药是中枢神经系统抑制药,具有镇静、催眠作用,过大剂量可麻醉全身(包括延髓)。一次服用大剂量可引起急性镇静催眠药中毒。长期滥用催眠药可引起耐药性和依赖性,导致慢性中毒,而突然停药或减量可引起戒断综合征。

在急性镇静催眠药中毒患者中,死亡者约占0.5%~12%。死亡的发生不仅取决于所服用药物的剂量,而且与抢救是否及时及患者对药物的敏感性等因素有关。

1. 镇静催眠药中毒的原因

镇静催眠药中毒分急性中毒和慢性中毒。急性中毒是指在短期内服用大量此类药物造成的病症。一次摄入此类药物5~10倍的催眠剂量,即可引起急性中毒。慢性中毒是指患者因长期服用此类药物,而产生对药物的耐受性和依赖性,从而不断增加用药量,一旦中止用药,即出现不同程度的药物戒断症状的现象。

由于这类药物临床应用广泛且易于获得,故急性中毒已为临床常见。此类事件多发生于蓄意自杀者,偶尔也可见于儿童误服或药物滥用者的意外中毒。

2. 镇静催眠药中毒的表现

镇静催眠药常可引起中枢神经系统抑制,症状严重程度与剂量有关。轻者出现嗜睡、情绪不稳定、注意力不集中、记忆力减退、共济失调、发音含糊不清、步态不稳和眼球震颤等症状。重者可出现呼吸抑制、昏迷、休克,甚至死亡。

3. 现场急救基本措施和方法

发现中毒者应立即送往医院;若患者可以配合,在送往医院进行洗胃以前,可想办法进行催吐。如予以物理刺激催吐,嘱其用手指或压舌板、筷子刺激咽后壁或舌根诱发呕吐。未见效时,嘱其饮温水200~300 mL,然后再用上述方法刺激呕吐,如此反复进行,直到呕出清亮胃内容物为止。

急性乙醇中毒

【案例介绍】 一大学生饮酒后昏迷10小时入院，入院时呈昏迷状态，呼之不应，疼痛刺激无反应，呼吸及呕吐物有乙醇（酒精）气味。立即经气管插管、解酒等抢救，患者恢复意识，诊断为重度急性乙醇中毒。

何为乙醇中毒？乙醇中毒后有什么表现？当有人出现饮酒过量时，应注意些什么？什么情况下应送往医院急救？阅读完下面的内容，你就会找到答案。

乙醇即酒精，是无色、易燃、易挥发的液体，具有醇香气味，能与水和大多数有机溶剂混溶。一次饮入过量乙醇或酒类饮料引起兴奋继而抑制的状态，称为急性乙醇中毒或急性酒精中毒。急性乙醇中毒严重者可危及生命，应送往医院及时救治。

1. 乙醇中毒机制

乙醇进入人体内1小时左右，约90%被吸收入血，其中90%～98%由肝门静脉入肝氧化，如短时间内大量饮酒致乙醇中毒，可造成严重的肝毒性损害。

乙醇具有脂溶性，可迅速通过脑中神经细胞膜，作用于膜上的某些酶而影响其功能，使大脑皮质功能受抑制，患者表现兴奋。随着血液中乙醇浓度的增加，随即影响延髓、脊髓，可麻痹中枢神经系统。

同时，乙醇的代谢产物乙醛在体内与多巴胺缩合成内源性阿片肽，直接或间接对中枢神经系统产生抑制作用，进而影响呼吸循环系统及性激素含量，导致合成代谢引起肝损害，重度中毒可诱发心血管系统疾病或呼吸中枢麻痹而死亡。

2. 急性乙醇中毒的表现

一次大量饮酒中毒可引起中枢神经系统抑制，症状与饮酒量、血液乙醇浓度及个人耐受性有关。临床上将乙醇中毒分为三期。

(1) 兴奋期

血液乙醇浓度达到 11 mmol/L(50 mg/dL)时，即感头痛、欣快、兴奋。血液乙醇浓度超过 16 mmol/L(75 mg/dL)时，健谈、饶舌、情绪不稳定、自负、易激怒，可有粗鲁行为或攻击行动，也可能沉默、孤僻。血液乙醇浓度达到 22 mmol/L(100 mg/dL)时，驾车易发生车祸。

(2) 共济失调期

血液乙醇浓度达到 33 mmol/L(150 mg/dL)时，肌肉运动不协调、行动笨拙、言语含糊不清、眼球震颤、视力模糊、复视、步态不稳，出现明显共济失调；血液乙醇浓度达到 43 mmol/L(200 mg/dL)时，出现恶心、呕吐、困倦。

(3) 昏迷期

血液乙醇浓度升至 54 mmol/L(250 mg/dL)时，患者进入昏迷期，表现为昏睡、瞳孔散大、体温降低。血液乙醇浓度超过 87 mmol/L(400 mg/dL)时，患者陷入深昏迷，心率快、血压下降，呼吸慢而有鼾音，可出现呼吸、循环麻痹而危及生命。

酒醉者醒后可有头痛、头晕、无力、恶心、震颤等症状。

上述临床表现常见于对乙醇尚无耐受性者。如已有耐受性，症状可能较轻。此外，重症患者可发生并发症，如轻度酸碱平衡失常、电解质紊乱、低血糖症、肺炎和急性肌病等。个别人在酒醒后发现肌肉突然肿胀、疼痛，可伴有肌球蛋白尿，甚至出现急性肾衰竭。

3. 现场急救基本措施和方法

(1) 轻症患者无须治疗，可使其静卧、保暖，给予浓茶或咖啡，待其自行恢复。兴奋躁动的患者必要时应加以约束。对烦躁不安、过度兴奋者可压迫其舌根催吐。

(2) 共济失调患者应休息，避免活动以免发生外伤。

(3) 昏迷患者应注意是否同时服用其他药物，并及时送往医院，途中应将患者头偏向一侧，防止误吸。

急性毒品中毒

【案例介绍】 2009年6月25日，美国天王巨星迈克尔·杰克逊辞世，享年50岁。洛杉矶首席验尸官在休斯敦法庭上公布迈克尔·杰克逊的死因，称其被注射强力麻醉剂异丙酚而导致死亡。虽然其死亡不是直接因吸食毒品所致，但他晚期长期吸食毒品，因而也可以说是毒品间接害死了这位天王巨星。

根据《中华人民共和国刑法》第357条规定，毒品是指鸦片、海洛因、甲基苯丙胺（冰毒）、吗啡、大麻、可卡因以及国家规定管制的其他能够使人形成瘾癖的麻醉药品和精神药品。该类物质具有成瘾（或依赖）性、危害性和非法性。

毒品是一个相对概念，一些药物在临床上用于治疗目的即为药品，如果是非治疗目的的滥用就会成为毒品。目前，我国的毒品不包括烟草和酒类中的成瘾物质。国际上通称的药物滥用也即我国俗称的吸毒。短时间内滥用、误用或故意使用大量毒品超过个体耐受量而产生相应的临床表现，称为急性毒品中毒。急性毒品中毒者常死于呼吸或循环衰竭，有时也发生意外死亡。

1. 急性毒品中毒机理

绝大多数毒品中毒由过量滥用引起，滥用方式包括口服、吸入（如鼻吸、烟吸或烫吸）、注射（如皮下、肌内、静脉或动脉）或黏膜摩擦（如口腔、鼻腔或直肠）。有时误食、误用或故意大量使用也可导致中毒。

毒品中毒也包括治疗用药过量或频繁用药超过人体耐受所致中毒。伴有以下情况更易发生中毒：① 严重肝肾疾病；② 严重肺部疾病；③ 胃排空延迟；④ 严重甲状腺或肾上腺皮质功能减退；⑤ 阿片类与乙醇或镇静催眠药同时服用；⑥ 老年人体质衰弱。

(1) 麻醉药中毒

① 阿片类药。不同的阿片类药进入体内的途径不同,其毒性作用起始时间也不同。吗啡进入人体后在肝脏主要与葡萄糖醛酸结合,或脱甲基形成去甲基吗啡;海洛因较吗啡脂溶性强,易通过血-脑脊液屏障,在脑内分解为吗啡而起作用;哌替啶活性代谢产物为去甲哌替啶,神经毒性强,易致抽搐。

体内阿片受体主要有 μ(μ1,μ2),κ 和 δ 三类,阿片受体介导阿片类药的药理效应。阿片类药分为阿片受体激动药和部分激动药。进入体内的阿片类药通过激活中枢神经系统内阿片受体起作用,产生镇痛、镇静、抑制呼吸、恶心、呕吐、便秘、兴奋、致幻或欣快等作用。长期使用阿片类药易产生药物依赖性。阿片依赖性或戒断综合征可能具有共同发病机制,主要是摄入的阿片类药与阿片受体结合,使内源性阿片样物质(内啡肽)生成受抑制,停用阿片类药后,内啡肽不能很快生成补充,即会出现成瘾或戒断现象。

② 可卡因。可卡因是一种脂溶性物质,为很强的中枢兴奋剂和古老的局麻药,有使中枢神经和拟交感神经兴奋作用,其通过使脑内 5-羟色胺和多巴胺转运体失去活性产生作用。滥用者常有很强的精神依赖性,反复大量使用还会产生生理依赖性,断药后可出现戒断症状,但成瘾性较吗啡和海洛因小。

③ 大麻。大麻的作用机制尚不清楚,急性中毒时与乙醇作用相似,产生神经、精神、呼吸和循环系统损害。长期使用可产生精神依赖性,而非生理依赖性。

(2) 精神药中毒

① 苯丙胺。苯丙胺是一种非儿茶酚胺的拟交感神经胺低分子量化合物,主要作用机制是促进脑内儿茶酚胺递质(多巴胺和去甲肾上腺素)释放,减少抑制性神经递质 5-羟色胺的含量,产生神经兴奋和欣快感。

② 氯胺酮。氯胺酮为新的非巴比妥类静脉麻醉药,静脉给

药后首先进入脑组织发挥麻醉作用，绝大部分在肝内代谢转化为去甲氯胺酮。氯胺酮为中枢兴奋性氨基酸递质甲基-天门冬氨酸受体特异性阻断药，选择性阻断痛觉冲动向丘脑-新皮层传导，具有镇痛作用；对脑干和边缘系统有兴奋作用，能使意识与感觉分离；对交感神经有兴奋作用，快速大剂量给药时抑制呼吸；尚有拮抗 μ 受体和激动 κ 受体作用。

2. 急性毒品中毒临床表现

（1）麻醉药中毒

① 阿片类毒品严重急性中毒时常出现昏迷、呼吸抑制和瞳孔缩小等症状。吗啡中毒典型表现为昏迷、瞳孔缩小或针尖样瞳孔和呼吸抑制（每分钟仅有 2 ~4 次呼吸，潮气量无明显变化）“三联征”，并伴有发绀和血压下降；海洛因中毒时除具有吗啡中毒“三联征”外，伴有严重心律失常、呼吸浅快和非心源性肺水肿，中毒病死率很高；哌替啶中毒时除血压降低、昏迷和呼吸抑制外，还有与吗啡中毒不同的症状，如心动过速、瞳孔扩大、抽搐、惊厥和谵妄等；芬太尼等中毒常引起胸壁肌强直；美沙酮中毒还可出现失明、下肢瘫痪等症状。急性重症中毒患者，大多在 12 小时内死于呼吸衰竭，存活 48 小时以上者预后较好。

② 可卡因急性重症中毒时，表现为奇痒难忍、肢体震颤、肌肉抽搐、癫痫大发作、体温和血压升高、瞳孔扩大、心率增快、呼吸急促和反射亢进等。我国滥用可卡因者较少。

③ 一次大量吸食大麻会引起急性中毒，表现为精神和行为异常，如高热性谵妄、惊恐、躁动不安、意识障碍或昏迷。有的出现短暂抑郁状态，悲观绝望，有自杀念头。检查可发现球结膜充血、心率增快和血压升高等症状。

（2）精神药中毒

① 苯丙胺类中毒表现为精神兴奋、动作多、焦虑、紧张、幻觉和神志混乱等，严重者可出现出汗、颜面潮红、瞳孔扩大、血压升高、心动过速或室性心律失常、呼吸增强、高热、震颤、肌肉抽搐、

惊厥或昏迷,也可发生高血压伴颅内出血,常见死亡原因为DIC、循环或肝肾衰竭。

② 氯胺酮中毒表现为神经精神症状,如精神错乱、语言含糊不清、幻觉、高热及谵妄、肌颤和木僵等。

3. 现场急救基本措施和方法

一旦发现急性毒品中毒者,应紧急送往医院救治。昏迷患者取侧卧位,防止误吸。若出现呼吸心跳停止,在专业救护人员到达前,应进行心肺复苏。

急性一氧化碳中毒

【案例介绍】 一日,做米线生意的刘师傅一家三口,因头晕、心跳加速、身子发软被送医院救治。刘师傅说:"我觉得全身乏力,人晕晕沉沉的,没有力气,就是不想起床。"混沌中,他迷迷糊糊地意识到做生意的菜还没有买,心里一急,猛地从睡梦中醒来。喊醒妻子和儿子后,三人都觉得有些异常,儿子的情况更为严重,下楼时一屁股坐在楼梯上,怎么都起不来了。刘师傅赶紧打120急救电话,一家三口被送到医院,经检查,诊断为煤气中毒。听了医生的话后,刘师傅大惊失色:"这段时间我经常有这种感觉,还以为是生病了呢,原来是煤气中毒的症状啊!"

一氧化碳(CO)是含碳物质不完全燃烧产生的一种无色无味气体,空气中一氧化碳浓度达到12.5%时有爆炸危险。吸入过量一氧化碳引起的中毒称急性一氧化碳中毒,俗称煤气中毒。急性一氧化碳中毒是较常见的生活中毒和职业中毒。

1. 一氧化碳中毒的原因

(1) 生活中使用煤炉不装烟筒,或装了烟筒但因管道堵塞或漏气,使室内一氧化碳浓度增高。

(2) 室内用炭火锅涮肉、烧烤,而门窗紧闭、通风不良,容易造成一氧化碳停留时间过长。

（3）火灾现场会产生大量一氧化碳。

（4）冬天在门窗紧闭的小车内连续发动汽车，产生大量含一氧化碳的废气。

（5）煤气热水器安装使用不当。

（6）自制土暖气取暖，虽煤炉与房间分隔开，但发生泄漏、倒风。

（7）城区居民使用管道煤气，管道中一氧化碳浓度为25%～30%，如果管道漏气、开关不严或烧煮中火焰意外熄灭，则易产生煤气大量溢出。

工业高炉煤气一氧化碳含量为30%～35%；水煤气一氧化碳含量为30%～40%；在炼钢、炼焦和烧窑等生产过程中，如炉门、窑门关闭不严、煤气管道漏气或煤矿瓦斯爆炸都会产生大量一氧化碳，导致吸入中毒。

失火现场空气中一氧化碳浓度高达10%，也可引起现场人员中毒。煤炉产生的气体中一氧化碳含量高达6%～30%，使用时不注意防护可发生中毒。每日吸烟一包，可使血液中碳氧血红蛋白（COHb）浓度升至5%～6%，连续大量吸烟也可致一氧化碳中毒。

家庭中煤气中毒主要指一氧化碳中毒和液化石油气、管道煤气、天然气中毒，前者多见于冬天用煤炉取暖，门窗紧闭，排烟不良时，后者常见于液化灶具漏泄或煤气管道漏泄时。

2. 一氧化碳中毒的临床表现

一氧化碳中毒时中毒者最初感觉为头痛、头昏、恶心、呕吐、软弱无力，当意识到中毒时，常想挣扎下床开门、开窗，但一般仅有少数人能打开门，大部分人迅速发生抽搐、昏迷，两颊、前胸皮肤及口唇呈樱桃红色，如救治不及时，可很快因呼吸抑制而死亡。煤气中毒依其吸入空气中所含一氧化碳的浓度、中毒时间的长短分为3种程度。

(1) 轻度中毒

中毒时间短,血液中碳氧血红蛋白占10% ~20%。表现为中毒的早期症状,头痛眩晕、心悸、恶心、呕吐、四肢无力,甚至出现短暂的昏厥,一般神志尚清醒,在吸入新鲜空气并脱离中毒环境后,症状迅速消失,一般不留后遗症。

(2) 中度中毒

中毒时间稍长,血液中碳氧血红蛋白占30% ~40%,在轻型症状的基础上,可出现虚脱或昏迷,皮肤和黏膜呈现煤气中毒特有的樱桃红色。如抢救及时,可迅速清醒,数天内完全恢复,一般无后遗症状。

(3) 重度中毒

重度中毒者往往发现时间过晚,吸入煤气过多,或在短时间内吸入高浓度的一氧化碳,血液中碳氧血红蛋白浓度常在50%以上,中毒者呈深度昏迷状,各种反射消失,大小便失禁,四肢厥冷,血压下降,呼吸急促,通常很快死亡。一般昏迷时间越长,预后越严重,常留有痴呆、记忆力和理解力减退、肢体瘫痪等后遗症。

3. 急救措施

家庭中如发生煤气中毒,应采取如下措施:

(1) 打开门窗通风。

(2) 切断气源。

(3) 拨打“120”急救电话,说清具体地址、方位。

(4) 把中毒者转移到通风的地方,注意给中毒者保暖。

(5) 如果房间里煤气浓重,不要按门铃或者拨打自家电话,以防爆炸。

【学会自我保护】

煤气中毒真叫惨,稀里糊涂命危险。

开窗通风请急救,地址一定说清楚。

本案例患者为一氧化碳中毒，幸亏及时就诊，发现了原因，否则后果严重。生活中应提高警惕，注重预防，一旦发生立即到医院检查。

急性食物中毒

【案例介绍】 丁先生一家五口人，他下班路过菜场时在一家熟食店里买了20多元的猪鼻子、鸡爪。猪鼻子和鸡爪都是凉的，回家后也没加热。晚上，丁先生的妻子楚女士还炒了盘长豇豆。就着一盘凉菜、一盘炒菜，一家五口开始吃饭。约3小时后丁先生的二女儿和小儿子开始出现呕吐、乏力、腹泻等症状，之后丁先生的妻子和大女儿也出现类似症状，而丁先生只是腹部隐隐作痛。于是赶忙去医院急诊科，经检查，医生诊断丁先生一家五口系急性食物中毒。

何为食物中毒？食物中毒有何表现？生活中我们应如何防止食物中毒的发生？

食物中毒，是指摄入含有生物性、化学性有毒有害物质或把有毒有害物质当作食物摄入后出现的非传染性的急性或亚急性疾病，属于食源性疾病的范畴。1994年中国卫生部颁发的《食物中毒诊断标准及技术处理总则》从技术上和法律上明确了食物中毒的定义。食物中毒既不包括因暴饮暴食而引起的急性胃肠炎、食源性肠道传染病（如伤寒）和寄生虫病（如囊虫病），也不包括因一次大量或者长期少量摄入某些有毒有害物质，而引起的以慢性中毒为主要特征的疾病（如致畸、致癌、致突变）。

1. 食物中毒的分类

食物中毒分为四类，即化学性食物中毒、细菌性食物中毒、霉菌毒素霉变食品中毒和有毒动植物中毒。

（1）化学性食物中毒

化学性食物中毒主要包括：① 误食被有毒化学物质污染的食品引起的食物中毒；② 因食入添加了非食品级的、伪造的或禁止使用的食品添加剂、营养强化剂的食品，以及超量使用食品添加剂的食品而引起的食物中毒；③ 食入因贮藏等原因，造成营养素发生化学变化的食品引发的食物中毒，如油脂酸败造成的食物中毒。

化学性食物中毒的发病特点是发病与进食时间、食用量有关。一般进食后不久即发病，常有群体性，中毒者中有共同的临床表现。剩余食品、呕吐物、血和尿等样品中可测出有关化学毒物。

（2）细菌性食物中毒

细菌性食物中毒是指人们摄入含有细菌或细菌毒素的食品而引起的食物中毒。引起细菌性食物中毒的原因有很多，其中最主要、最常见的原因就是食物被细菌污染。据中国近5年食物中毒统计资料表明，细菌性食物中毒占食物中毒总数的50%左右，而动物性食品是引起细菌性食物中毒的主要食源，其中肉类及熟肉制品居首位，其次有变质禽肉、病死畜肉及鱼、奶、剩饭等。

（3）霉菌毒素霉变食物中毒

霉菌毒素霉变食物中毒指人和动物食入霉菌毒素或霉变食品引起的食物中毒，亦称真菌性食物中毒。最常见的原因是真菌污染，而用一般的烹调方法加热处理不能破坏食品中的真菌毒素。真菌生长繁殖及产生毒素需要一定的温度和湿度，因此真菌性食物中毒往往有比较明显的季节性和地区性。如进食发霉的大豆、花生、玉米等引起的食物中毒等。

（4）有毒动植物中毒

有毒动植物中毒指摄入有毒的动物或植物而引起的中毒。如食入未经妥善加工的河豚导致的河豚中毒，食入有毒的蘑菇导致的毒蕈中毒等。

2. 食物中毒的表现

由于食物中毒的类型不同,其临床表现亦差别很大,共同特点是潜伏期短、突然地和集体地暴发,多数表现出肠胃炎症状,并和食用某种食物有明显关系。其中,细菌引起的食物中毒占绝大多数,症状以恶心、呕吐、腹痛、腹泻为主,往往伴有发烧。吐泻严重的还能发生脱水、酸中毒,甚至休克、昏迷等症状。

食物中毒的一般特征包括:

(1) 与进食物有关。中毒者在相近的时间内均食用过某种共同的有毒食品,未食用者不发病,发病者停止食用该种有毒食品后,发病现象很快停止。

(2) 食物中毒特征性的临床表现:发病急剧,潜伏期短,病程亦较短,一起食物中毒的患者有相同的潜伏期,在很短的时间内同时发病,很快形成发病高峰,并且临床表现基本相似(或相同),一般无人与人之间的直接传染,其发病曲线没有尾峰。

(3) 食物中毒的确定应尽可能有实验室资料。从不同患者和有毒食品中检出相同的病原,但由于报告的延误可造成采样不及时,或采不到剩余有毒食品,或患者已使用过药物,或其他原因未能得到检验资料的阳性结果,通过流行病学的分析,可判定为原因不明的食物中毒。

3. 急救措施

一旦有人出现上吐下泻、腹痛等食物中毒症状,首先应立即停止食用可疑食物,并立即拨打 120 急救电话。在急救车到来之前,可以采取自救措施。

(1) 催吐

对中毒不久而无明显呕吐者,可先用手指、筷子等刺激其舌根部催吐,或让中毒者大量饮用温开水并反复自行催吐,以减少毒素的吸收。如经大量温水催吐后,呕吐物已呈较澄清液体时,可适量饮用牛奶以保护胃黏膜。如在呕吐物中发现血性液体，则提示可能出现了消化道或咽部出血，应暂时停止催吐。

（2）导泻

如果患者吃下有毒食物时间较长（如超过 2 小时），而且精神较好，可采取服用泻药的方式，促使有毒食物排出体外。如将大黄、番泻叶煎服或用开水冲服，都能达到导泻的目的。

（3）解毒

如果是吃了变质的鱼、虾、蟹等引起的食物中毒，可取食醋 100 mL 加水 200 mL，稀释后一次服下。此外，还可采用紫苏 30 g、生甘草 10 g 一次煎服。若是误食了变质的饮料或防腐剂，最好的急救方法是用鲜牛奶或其他含蛋白质的饮料灌服。

（4）保留食物样本

由于确定中毒物质对治疗来说至关重要，因此，在发生食物中毒后要保存导致中毒的食物样本，以提供给医院进行检测。如果身边没有食物样本，也可保留患者的呕吐物和排泄物，以方便医生确诊和救治。

如果经上述急救，症状未见好转，或中毒较重者，应尽快送医院治疗。在治疗过程中，要给患者以良好的护理，尽量使其安静，避免精神紧张，注意休息，防止受凉，同时补充足量的淡盐开水。

4. 细菌性食物中毒的预防

（1）冷藏食品应保质、保鲜，动物食品食用前应彻底加热煮透，隔餐剩菜食用前也应充分加热。

（2）腌腊罐头食品食用前应煮沸 6 ~ 10 分钟。

（3）禁止食用毒蕈、河豚等有毒动植物。

（4）防止食品被细菌污染。应该加强对食品企业的卫生管理，特别应加强对屠宰厂宰前、宰后的检验和管理。禁止使用病死禽畜肉或其他变质肉类制作食品。醉虾、腌蟹等最好不吃。食品的加工、销售部门、餐饮行业及集体食堂的操作人员应当严格遵守食品卫生法，严格遵守操作规程，做到生熟分开，特别是制作冷荤熟肉时更应该特别注意。从业人员应该进行健康体检,检验合格后方能上岗,如发现肠道传染病及带菌者应及时调离。发现炊事员、保育员有沙门菌感染或是带菌者,应调离工作岗位,待3次粪便培养阴性后才可返回原工作岗位。

(5) 控制细菌繁殖,主要措施是冷藏、冷冻。冷藏温度控制在2~8 ℃,可抑制大部分细菌的繁殖。熟食品在冷藏中应做到避光、断氧,避免二次污染。

(6) 高温杀菌。食品在食用前进行高温杀菌是一种可靠的防中毒方法,其效果与温度高低、加热时间、细菌种类、污染量及被加工的食品性状等因素有关,应根据具体情况而定。

5. 常见易中毒食物

(1) 鲜木耳

鲜木耳与市场上销售的干木耳不同,含有一种叫作卟啉的光感物质,如果被人体吸收,经阳光照射,能引起皮肤瘙痒、水肿,严重可致皮肤坏死。若水肿出现在咽喉黏膜部位,还能导致呼吸困难。

新鲜木耳应晒干后再食用,暴晒过程会使大部分卟啉分解。市面上销售的干木耳,也需用水浸泡,使可能残余的毒素溶于水中。

(2) 鲜海蜇

新鲜海蜇皮体较厚,水分较多。研究发现,海蜇含有四氨络物、5-羟色胺及多肽类物质,有较强的组胺反应,可引起海蜇中毒,出现腹泻、呕吐等症状。

只有经过食盐加明矾盐渍3次(俗称“三矾”),使鲜海蜇脱水,将毒素排尽后,才可食用。“三矾”海蜇呈浅红或浅黄色,厚薄均匀且有韧性,用力挤不出水。

海蜇有时会附着一种叫副溶血性弧菌的细菌,对酸性环境比较敏感。因此凉拌海蜇时,将其放在淡水里浸泡两天,食用前加工好,再用醋浸泡5分钟以上,就能消灭全部弧菌。

(3) 鲜黄花菜

鲜黄花菜含有毒成分秋水仙碱,如果未经水焯、浸泡,就急火快炒食用,可能导致头痛头晕、恶心呕吐、腹胀腹泻,甚至使体温改变、四肢麻木。这是由于秋水仙碱在体内氧化为氧化二秋水仙碱,食后半小时到 4 小时就可能出现恶心、呕吐、腹痛、腹泻、头昏、头疼、口渴、喉干等症状。

干制黄花菜无毒。若想尝尝新鲜黄花菜的滋味,应去其条柄,用开水焯过,然后用清水充分浸泡、冲洗,使秋水仙碱最大限度地溶于水中。建议将新鲜黄花菜蒸熟后晒干,若需要食用,取一部分加水泡开,再进一步烹调。

如果出现中毒症状,不妨喝一些凉盐水、绿豆汤或葡萄糖溶液,以稀释毒素,加快排泄。症状较重者,立刻送医院救治。

(4) 变质蔬菜

在冬季,蔬菜特别是绿叶蔬菜储存一天后,其含有的硝酸盐成分会逐渐增加。人吃了不新鲜的蔬菜,肠道会将硝酸盐还原成亚硝酸盐。亚硝酸盐会使血液丧失携氧能力,导致头晕头痛、恶心腹胀、肢端青紫等,严重时还可能发生抽搐、四肢强直或屈曲,进而昏迷。

如果中毒情况严重,一定要送医院治疗。在轻微中毒的情况下,可食用富含维生素 C 或茶多酚等抗氧化物质的食品加以缓解。

大蒜能阻断有毒物的合成进程,因此民间说大蒜可杀菌是有道理的。

需要提醒的是,蔬菜当天买当天吃完最好。有些市民习惯将大白菜、青椒等用报纸包裹着放在冰箱里,这也是不可取的。

(5) 变质生姜

生姜适宜放在温暖、湿润的地方,存贮温度以 12 ~ 15 ℃ 为宜。如果存贮温度过高,会导致严重腐烂。变质生姜含毒性很强的物质黄樟素,一旦被人体吸收,即使量很少,也可能引起肝细胞中毒变性。人们常说“烂姜不烂味”,这种观点是错误的。

(6) 霉变甘蔗

霉变的甘蔗毒性十足。霉变甘蔗无正常光泽、质地变软,肉质变成浅黄或暗红、灰黑色,有时还可见霉斑。如果闻到酒味或霉酸味,则表明严重变质。甘蔗阜孢霉、串珠镰刀菌等产生的霉菌毒素可在10分钟到48小时内引起头痛、头晕、恶心、呕吐、腹痛、腹泻、视力障碍,严重者出现剧吐、阵发性痉挛性抽搐、神志不清、昏迷、幻视、哭闹等症状。

对甘蔗观其色、闻其味之后,如果发现有可疑,请一定不要食用。因为霉变甘蔗中含有神经毒素,目前还没有特效的解毒药。儿童的抵抗力较弱,更要特别注意。

(7) 长斑红薯

红薯表面出现黑褐色斑块,表明受到黑斑病菌(一种霉菌)污染,它排出的毒素有剧毒,不仅使红薯变硬、发苦,而且对人体肝脏影响很大。对于这种毒素,使用煮、蒸或烤的方法都不能将之破坏。因此,有黑斑病的红薯,不论生吃还是熟吃,均可引起中毒。

(8) 生豆浆

未煮熟的豆浆含有皂素等物质,不仅难以消化,还会诱发恶心、呕吐、腹泻等症状。因此,一定要将豆浆彻底煮开再喝。

注意:当豆浆煮至85~90 ℃时,皂素容易受热膨胀,产生大量泡沫,让人误以为已经煮熟。家庭自制豆浆或煮黄豆时,应在100 ℃下,加热约10分钟,才能放心食用。

生活中还需注意,不要往豆浆里加红糖,因为红糖中的醋酸、乳酸等有机酸与豆浆中的钙结合,会产生醋酸钙、乳酸钙等块状物,不仅降低了豆浆的营养价值,而且影响营养素的吸收。此外,豆浆中的嘌呤含量较高,痛风患者不宜饮用。

(9) 生四季豆

四季豆又名刀豆、芸豆、扁豆等,是普遍食用的蔬菜。生的四季豆中含皂苷和血球凝集素,皂苷对人体消化道具有强烈的刺激性，可引起出血性炎症，并对红细胞有溶解作用。

此外，豆粒中还含红细胞凝集素，具有红细胞凝集作用。如果烹调时加热不彻底，毒素成分未被破坏，食用后会引起中毒。

四季豆中毒的发病潜伏期为几十分钟至十几小时，一般不超过5小时。主要有恶心、呕吐、腹痛、腹泻等胃肠炎症状，同时伴有头痛、头晕、出冷汗等神经系统症状，有时也有四肢麻木、胃烧灼感、心慌和背痛等症状。病程一般为数小时或一两天，愈后良好。若中毒较深，则须送医院治疗。

家庭预防四季豆中毒的方法非常简单，每一锅的量不应超过锅容量的一半，用油炒过后，加适量的水，加上锅盖焖10分钟左右，并用铲子不断地翻动四季豆，使它受热均匀，只要使四季豆外观失去原有的生绿色，吃起来没有豆腥味就可以了。

还要注意不买、不吃老四季豆，应把四季豆两头和豆荚摘掉，因为这些部位含毒素较多。

（10）青番茄

青番茄含有与发芽土豆相同的有毒物质——龙葵碱，人体吸收后会出现头晕恶心、流涎呕吐等症状，严重者发生抽搐，严重威胁生命。

因此，购买时一定要选熟番茄。首先，外观要彻底红透，不带青斑；其次，熟番茄酸味正常，无涩味；再次，熟番茄蒂部自然脱落，外形平展。有时青番茄因存放时间久，外观虽然变红，但茄肉仍保持青色，此种番茄同样对人体有害，需仔细分辨。购买时，应看一看根蒂，若采摘时为青番茄，蒂部常被强行拔下，皱缩不平。

本案例患者为食物中毒，起病与食用未加热卤制品或长豇豆有关，由于及时治疗而无大碍。

（张利远　余海洋）

异物卡喉的急救

【案例介绍】 6岁的君君像往常一样，在屋子里跑来跑去，拿着阿姨买来的开心果更是欢喜无比，抓起一把就往嘴里塞，边吃边跑边喊。突然不小心摔倒在地，瞬间脸色变得青紫，原来是开心果卡到喉咙里了……一家人手忙脚乱，只知道掐人中，等到救护车把君君送到医院时，心跳呼吸已停止。

这是一例气管异物造成窒息而夺去孩子生命的事例。如果君君的父母当时能够采取及时、必要的抢救措施，可能君君现在还活蹦乱跳地活在世上。

喉是呼吸道中最狭窄的部分，一旦误吸入较大的异物，易嵌顿于此，形成喉异物，可导致急性喉阻塞而产生窒息。

一、常见诱因

食物、异物卡喉常由于进食或口含异物时嬉笑、打闹或啼哭所致，尤其多发于儿童。异物种类甚多，糖果、果核、瓜子、骨片、豆类、果冻等均可嵌顿在声门区。

二、临床表现

由于食物或异物嵌顿于声门或落入气管，造成患者窒息或严重呼吸困难，表现为突然呛咳、不能发音、喘鸣、呼吸急促、皮肤发紫，严重者可迅速丧失意识，甚至呼吸心跳停止。

三、诊断

根据异物呛入史或患者表现，即能快速确诊。喉侧位 X 线摄片、CT 检查有助于显示异物的位置。但是较大异物卡喉时往往没有时间进一步行影像学检查，必须立即急救取出异物。

四、现场急救

异物卡喉的治疗原则为迅速取出异物，防止异物坠入下呼吸道，尽快缓解呼吸困难症状。现场急救常采用 Heimlich 手法。

1. 一般急救 Heimlich 手法

（1）成年或儿童患者站立时，施救者两手从其背后伸出，一手握拳，拇指对准其肚脐与心窝的中线，另一手包住拳头并握紧，两手快速向其上方连续挤压 5 次（见图 15-1）。

如果患者倒下，使其仰卧，施救者跨坐其大腿上，两手十指互扣并翘起，掌根置于其肚脐与心窝中线，快速向下并往前推压 5 次。

（2）如果患者为孕妇或肥胖者，则改变压胸外按摩的位置，也就是患者胸骨中央距离下端两指处。

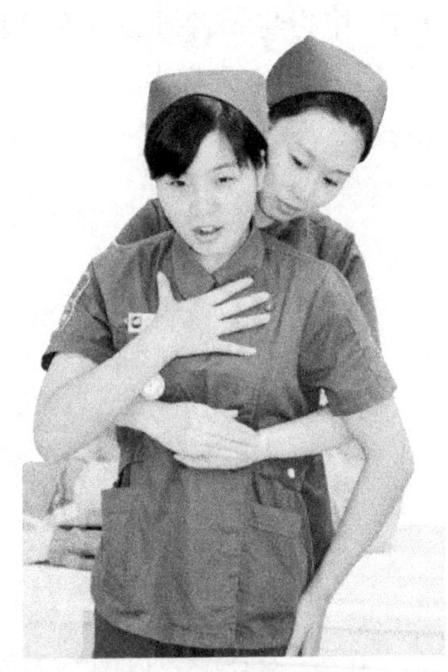

图 15-1　异物卡喉急救 Heimlich 手法

2. 婴幼儿急救手法

如果患者是婴儿，则一手固定婴儿的头颈正面，让他面朝下趴在施救者前臂上，使其头比胸低。施救者前臂可放置在大腿上以固定婴儿,另一手掌根拍打婴儿两肩胛骨之间,连续拍打 5 次(见图 15-2)。

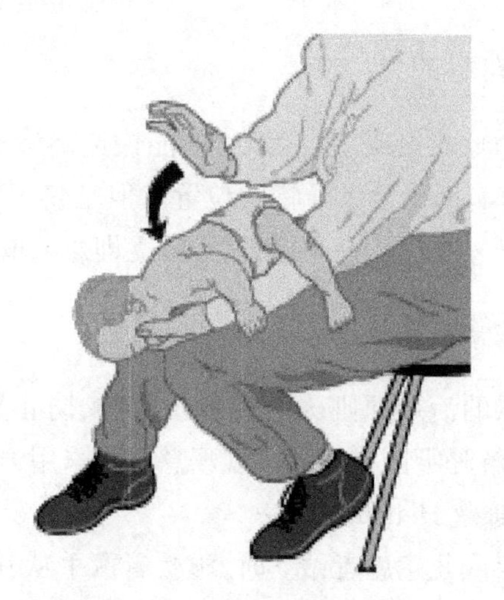

图 15-2　婴幼儿急救手法(一)

然后,一手固定婴儿头与颈背,翻转使其面朝上,头比胸低,食指、中指与无名指三指置于婴儿两乳连线中点的下方,翘起食指,用中指与无名指再推压 5 次,推压速度放慢一些(见图 15-3)。

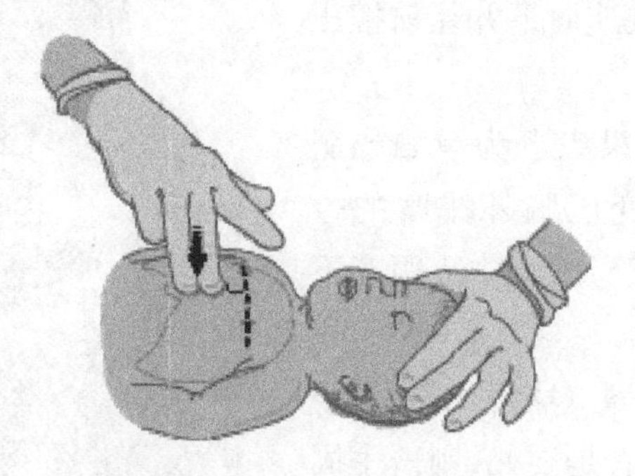

图 15-3　婴幼儿急救手法(二)

接着,检查患者口中有无异物,食指弯曲深入勾取。

如果患者没有呼吸,则应吹两口气,进行打开气道、人工呼吸、胸外按压等常规急救(见图15-4)。若吹气有阻力,则畅通呼吸道,吹两口气,重复上述推压方法5次,再用食指勾取异物。反复实施这几个步骤,直到患者咳嗽或出声为止。

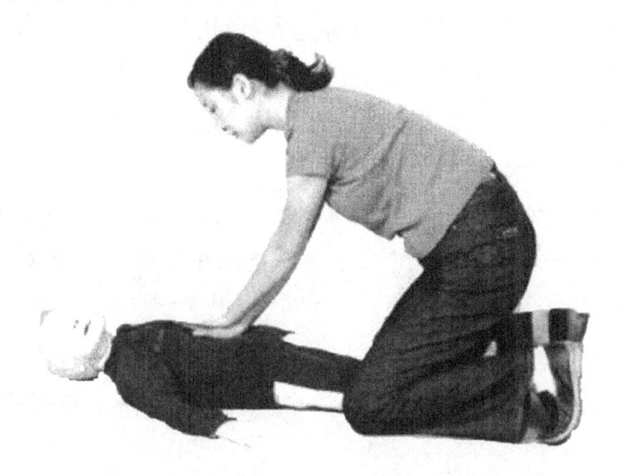

图15-4 婴幼儿卡喉的常规急救

3. 患者自救

如果患者自己发生哽塞时无人相助,可握拳挤压上述位置,或使劲压靠椅背、桌缘等突出物。当异物卡喉时,切勿离开有其他人在场的房间,可用手指表示Heimlich征象,以求救援。

五、急诊室处理

(1) 应根据异物大小、形状、特点,选择理想手术器械和手术方法,在间接喉镜或直接喉镜的帮助下迅速取出异物。

(2) 钳取声门下异物时,应将夹有异物的钳口转位成左右开口后再出声门,以免异物受声带阻挡而脱落,并可在异物通过声门时保护声带免受损伤。

(3) 估计异物难以在直接喉镜下取出时,应先做气管切开术。待呼吸缓解后,再于喉镜下取出,或经气管切开逆行钳取异物。

六、食物和异物卡喉窒息的预防

避免食物和异物卡喉应注意:① 将食物切成细块;② 充分咀嚼;③ 口中含有食物时,应避免大笑、讲话、行走或跑步;④ 不允许儿童将小型玩具放入口中。

有假牙者或酒后进食者应特别注意异物卡喉的发生。

本案例患者因异物卡喉而亡,教训沉痛。异物卡喉重在预防,一旦发生,按照上述方法处理并及时送医救治。

(余　湛　张利远)

第16讲 急性胸痛的急救

【案例介绍】 某教师,46岁,肥胖,平日吸烟、饮酒,胸痛3个月,诱因不清,都在夜间发作,时间从几分钟到半小时不等,胸痛部位为胸骨后、左心前区,有时剧烈难忍,无放射痛,自诉舌下含服硝酸甘油有一定效果。来医院就诊,做心电图和心肌酶谱检查,诊断为心绞痛,住院进一步检查治疗。

胸痛一般由胸部疾病(也包括胸壁疾病)引起。胸痛的剧烈程度不一定与病情轻重相平行。

一、发病原因

(1) 炎症:如皮炎、非化脓性肋软骨炎、带状疱疹、肌炎、流行性肌痛、胸膜炎、心包炎、纵隔炎、食管炎等。

(2) 内脏缺血:如心绞痛、急性心肌梗死、心肌病、肺梗死等。

(3) 肿瘤:如原发性肺癌、纵隔肿瘤、骨髓瘤、白血病等的压迫或浸润。

(4) 其他原因:如自发性气胸、胸主动脉瘤、夹层动脉瘤、过度换气综合征、外伤等。

(5) 心脏植物神经功能紊乱。

二、临床表现

1. 胸痛的部位

胸壁皮肤炎症在罹患处皮肤会出现红、肿、热、痛等症状。

带状疱疹呈多数小水疱群,沿神经分布,不越过中线,有明显的痛感。

流行性肌痛时可出现胸、腹部肌肉剧烈疼痛,可向肩部、颈部放射。

非化脓性肌软骨炎多侵犯第1、第2肋软骨,患部隆起、疼痛剧烈,但皮肤多无红肿。

心绞痛与急性心肌梗死的疼痛常位于胸骨后或心前区。

食管疾患,膈疝、纵隔肿瘤的疼痛也位于胸骨后。

自发性气胸、急性胸膜炎、肺梗死等常呈患侧的剧烈胸痛。

2. 胸痛的性质

肋间神经痛呈阵发性的灼痛或刺痛。

肌痛常呈酸痛。

骨痛呈酸痛或锥痛。

食管炎、膈疝常呈灼痛或灼热感。

心绞痛常呈压榨样痛,可伴有窒息感。

主动脉瘤侵蚀胸壁时呈锥痛。

原发性肺癌、纵隔肿瘤可有胸部闷痛。

3. 影响胸痛的因素

心绞痛常于用力或精神紧张时诱发,呈阵发性,含服硝酸甘油可迅速缓解。

心肌梗死常呈持续性剧痛,含服硝酸甘油不能缓解。

心脏植物神经功能紊乱所致胸痛常因运动而好转。

胸膜炎、自发性气胸、心包炎的胸痛常因咳嗽或深呼吸而加剧。

若胸痛伴随下列症状,有提示诊断的意义:

① 伴咳嗽,常见于气管、支气管胸膜疾病。

② 伴吞咽困难,常见于食管疾病。

③ 伴咯血,常见于肺结核、肺梗死、原发性肺癌。

④ 伴呼吸困难,常见于大叶性肺炎、自发性气胸、渗出性胸膜炎、过度换气综合征等。

⑤ 心绞痛、心肌梗死常于高血压动脉硬化的基础上发病。

三、应急处理

(1) 卧床休息,采取自由体位。如为胸膜炎所致者,朝患侧卧可减轻疼痛。

(2) 局部热敷。

(3) 口服止痛药物。可服用阿司匹林 0.3 ~ 0.6 g,每日 3 次;扑热息痛 0.25 ~ 0.5 g,每日 3 次;消炎痛 25 mg,每日 3 次。若加用安定 5 mg,每日 3 次,效果更好。

(4) 若疑为心绞痛者,可舌下含服硝酸甘油或心痛定 5 ~ 10 mg。

(5) 经上述紧急处理后疼痛仍未缓解者,应速送医院急救。

急性胸痛为致死性症状。

凡是急性胸痛应立即送医院诊治。在医师排除致死性疾病时方可放松警惕。

(贺兰兰)

第17讲 急性腹痛的急救

【案例介绍】 某男教师，45岁，平素有胆囊炎病史，2小时前与同事饮酒吃饭后，突然出现上腹部疼痛，并向左肩部放射，伴有腹胀、恶心、呕吐，立即送往医院救治，诊断为急性胰腺炎，急诊住院治疗。

急性腹痛具有起病急、病情重、变化快、病因复杂等特点，是临床常见急症。引起急性腹痛的原因大致包括腹内脏器病变、由腹外脏器或全身病变。腹内脏器病变又可分为器质性病变与功能性病变，前者包括炎症、穿孔、破裂、梗阻、套叠、扭转、绞窄等，后者可由腹壁、腹膜、腹腔内器官功能失常或器质性病变引起，也可来自全身性疾病。许多内科、外科、妇科、儿科、皮肤科疾病均可引起急性腹痛，其中属于外科范围者临床习惯称为急腹症。

在做出急腹症的诊断前，首先要排除腹腔以外的疾病，因为一些内科疾病和胸腔疾病都会引起腹痛，如下叶肺炎、胸膜炎、急性心肌梗死、神经根炎、糖尿病酮症酸中毒、血紫质病、铅中毒和一些过敏性疾病等。这些患者也会感到腹痛，但都是在原来内科疾病发作基础上出现的，腹痛仅是次要表现，或是在原疾病很多症状中新出现的一个症状表现。

急性腹痛的诊断是急救的重要前提,在具体病例中可以从几个方面来对腹痛进行诊断。

一、病史采集

要客观地采集患者病史,以腹痛作为主要线索,包括腹痛的诱因、始发的时间、部位、性质、转变过程等。

1. 腹痛

(1) 腹痛发生的诱因

急性腹痛常与饮食有关,如胆囊炎、胆石症常发生于进食油腻食物后;急性胰腺炎常与过度饮食或过量饮酒有关;胃十二指肠溃疡穿孔多见于饮食后;剧烈活动后突然腹痛应考虑肠扭转的可能性;驱虫不当可以成为胆道蛔虫病的诱因。

(2) 腹痛的部位

一般来说,最先出现腹痛的部位或腹痛最显著的部位往往与病变的部位一致。因此,根据脏器的解剖位置,可以做出病变所在脏器的初步判断。

急性腹痛由一点开始,然后波及全腹者多为实质性脏器破裂或空腔脏器穿孔。如胃、十二指肠溃疡穿孔,其疼痛始于上腹,后波及全腹;盆腔炎疼痛始于下腹可波及全腹。

转移性腹痛主要见于急性阑尾炎,腹痛始于上腹,再转至脐周,几小时后转移到右下腹的固定部位。

应注意观察牵涉痛或放射痛。如胆囊炎、胆石症发作时出现右上腹或剑突下的疼痛,但同时可有右肩或右肩胛下角痛;急性胰腺炎出现上腹痛同时可伴左肩痛或左右肋缘至背部疼痛;十二指肠后壁穿透性溃疡可致第 11 和第 12 胸椎右旁区放射痛;输尿管上段或肾结石呈现腰痛,并有下腹或腹股沟区放射痛,而输尿管下段结石则会出现会阴部的放射痛。

腹腔以外的疾病也可引起腹痛,如右侧肺炎、胸膜炎,由于炎症刺激肋间神经和腰神经分支(胸 6 至腰 1),可引起右侧上、下腹痛，易被误诊为胆囊炎或阑尾炎。

（3）腹痛发生的缓急

腹痛开始时轻，以后逐渐加重，多为炎症性病变。腹痛突然发生，迅速恶化，多见于实质性脏器破裂，空腔脏器穿孔，空腔脏器急性梗阻、绞窄，脏器扭转等，如急性肠扭转、绞窄性肠梗阻等。

（4）腹痛的性质

腹痛性质反映了腹腔内脏器病变的性质，大体可分为 3 种：① 持续性钝痛或隐痛，多表示炎症性或出血性病变，如阑尾炎、急性胰腺炎、肝破裂内出血等；② 阵发性腹痛，多表示空腔脏器发生痉挛或阻塞性病变，腹痛持续时间长短不一，有间歇期，间歇期无疼痛，如机械性小肠梗阻、输尿管结石等；③ 持续性腹痛伴阵发性加重，多表示炎症和梗阻并存，如肠梗阻发生绞窄，胆结石合并胆道感染。

应当注意，上述不同规律的腹痛可出现在同一疾病的不同病程中，并可相互转化。

（5）腹痛的程度

腹痛的程度一般可反映腹腔内病变的轻重，但由于个体对疼痛的敏感程度及耐受程度不同而有差别，缺少客观的指标。

一般来说，炎症性刺激引起的腹痛较轻。空腔脏器的痉挛、梗阻、嵌顿、扭转或绞窄缺血、化学刺激所产生的疼痛程度较重，难以忍受，如胆道蛔虫所致胆绞痛，输尿管结石、肾结石所致肾绞痛，患者腹痛剧烈、辗转不安。胃、十二指肠穿孔时，由于消化液对腹膜的化学刺激，呈刀割样痛，患者平卧不敢翻动、不敢深吸气，甚至拒绝医生触摸腹部。

2. 消化道症状

腹痛时除了解病史外，尚需了解消化道症状。

（1）厌食

小儿急性阑尾炎患者常先有厌食后有腹痛发作。

(2) 恶心、呕吐

严重腹痛可引起恶心呕吐。呕吐通常由胃肠道疾病所致，因此呕吐常继腹痛后发生。消化性溃疡穿孔常无呕吐；急性胆囊炎常伴呕吐；急性阑尾炎患者呕吐常在腹痛后 3 ~ 4 小时出现；急性胃肠炎则相反，发病早期频繁呕吐；高位小肠梗阻呕吐出现早且频繁；低位小肠或结肠梗阻呕吐出现晚或者不发生呕吐。

呕吐物的颜色、内容及呕吐的量与梗阻的部位密切相关：呕吐物为宿食，且不含胆汁，常见于幽门梗阻；呕吐物混有胆汁者提示梗阻部位在胆总管汇入十二指肠以远；梗阻部位在小肠，其呕吐物为褐色，混浊含有渣滓；呕吐后腹痛减轻者支持小肠梗阻诊断；上腹钻顶样疼痛伴吐蛔虫，应考虑胆道蛔虫症；呕血或吐咖啡样物为上消化道出血；呕吐物呈咖啡色，有腥臭味可能是急性胃扩张；呕吐物为粪水样，常为低位肠梗阻。

(3) 排便情况

如腹痛后停止排便、排气，常为机械性肠梗阻。如腹腔内有急性炎症病灶常抑制肠蠕动，也可引起便秘。大量水样排泄伴痉挛性腹痛提示急性胃肠炎。小儿腹痛、排果酱样便是小儿肠套叠的特征。脐周疼痛、腹泻和腥臭味血便提示急性坏死性肠炎。

3. 其他伴随症状

腹腔内炎症病灶一般可伴有不同程度的发热，如化脓性阑尾炎、化脓性胆囊炎等。重症感染者可有寒战高热，如急性重症胆管炎。贫血、休克可能有腹腔内出血或消化道出血。梗阻性黄疸见于肝、胆、胰疾病。伴有尿频、尿急、尿痛、血尿、排尿困难等，应考虑泌尿系统疾病。

对有生育能力的妇女，准确的月经史、近期月经开始和终止日期对腹痛的诊断有重要意义。如宫外孕破裂多有停经史；卵巢滤泡或黄体破裂常在两次月经的中期发病。

4. 既往病史

患者以前的疾病史或手术史对腹痛的诊断也是有价值的，它可以帮助医生排除已根除性疾病，有利于对此次腹痛的诊断。如已做胆囊切除术者可排除胆囊结石和胆囊炎；有胆管结石手术史者，应考虑是否有胆管残余结石或复发结石；消化性溃疡穿孔患者常有溃疡病史；粘连性肠梗阻患者多有腹部手术史。

二、体格检查

1. 周身情况检查

观察患者的一般状况，如神志、呼吸、脉搏、血压、体温、舌苔、病容、痛苦程度、体位、皮肤情况及有无贫血、黄疸。千万不能忽视全身体检，包括心、肺功能检查。对周身情况的观察对急腹症诊治十分重要，由此可以初步判断患者病情的轻重缓急，是否需要做一些紧急处置，如输液、输血、解痉、镇静、给氧等，然后再做进一步的检查。对危重患者，有时不能按一般常规顺序进行检查，也不能过于烦琐。可在重点问诊和进行最必要的体检后，先进行生命的抢救处理，待情况允许后再做详细检查。

2. 腹部检查

（1）观察腹部外形有无膨隆，有无弥漫性胀气，有无肠型蠕动波，腹式呼吸是否受限等。

（2）压痛与肌紧张：① 固定部位的、持续性的深部压痛伴有肌紧张，常为有炎症的表现。② 浅表的压痛或感觉过敏，或轻度肌紧张而压痛不明显、疼痛不剧烈，常为邻近器官病变引起的牵涉痛。③ 全腹都有明显压痛、反跳痛与肌强直，为中空脏器穿孔引起腹膜炎的表现。

对于急腹症，触诊的手法要轻柔，先检查正常或疼痛轻的部位，再逐渐移向疼痛的中心部位。

诱导反跳痛有两种方法：① 在病变部位的腹壁上轻轻叩诊；

② 让患者咳嗽以引出反跳痛。

（3）观察腹部有无肿块。炎性肿块常伴有压痛和腹壁的肌紧张，界限不甚清楚，而非炎性肿块界限比较清楚。观察时，要注意肿块的部位、大小、压痛、质地（软、硬、囊性感）、有无杂音及活动度等。

（4）肝浊音界和移动性浊音。肝浊音界消失，对胃肠穿孔有一定的诊断意义，但有时肺气肿或结肠胀气可使肝浊音界叩不出。此外，胃肠穿孔时，肝浊音界也不一定都消失，这决定于穿孔的大小和检查时间的早晚。因此，要辅以腹部 X 线透视检查。少量积液时不易发现移动性浊音，但发现移动性浊音对腹膜炎的诊断很有意义，可由诊断性穿刺来证实。

（5）听诊。对肠鸣音的改变要连续观察，重视音调的改变，如金属音、气过水声等。高亢的肠鸣音结合腹部胀气或发现肠襻则提示可能有肠梗阻存在，但肠梗阻在肠麻痹阶段也可有肠鸣音的减弱或消失。

3. 直肠、阴道检查

对于下腹部的急腹症，直肠检查有时可以触及深部的压痛或摸到炎性的肿块。对已婚妇女可请妇科医生协助做阴道检查，这有助于对盆腔病变的诊断。

三、实验室诊断

1. 化验

血细胞、尿常规、粪常规、酮体及血清淀粉酶是最常做的急诊化验。怀疑卟啉病的要测尿紫质；疑铅中毒的应查尿铅。

2. X 线检查

做胸腹透视的目的在于观察胸部有无病变、膈下有无游离气体、膈肌的运动度及肠积气和液平面，有时需摄腹部平片（取立位或卧位）。当怀疑为乙状结肠扭转或肠套叠时，可行钡餐灌肠检查。

3. B型超声诊断

近年来B型超声检查在急腹症的诊断中起到非常重要的作用,可以发现胆系的结石、胆管的扩张和胰腺、肝脾的肿大等。对于腹腔少量的积液,B超检查较腹部叩诊敏感。在宫外孕的诊断中,有时可看到子宫一侧胎儿的影像或输卵管内的积液。B超对于腹内的囊肿和炎性肿物也有较好的诊断价值。

4. 诊断性穿刺及其他

对于腹膜炎、内出血、胰性腹水及腹腔脓肿等可试行诊断性穿刺。目前较多采用超声定位下的细针穿刺,既准确又安全。对穿刺物应立即做常规、涂片显微镜检查及细胞培养。对妇科急腹症患者有时需做阴道后穹窿穿刺或腹腔镜检查。

5. 手术探查

在诊断不能确定,内科治疗不见好转而病情转危的紧急情况下,为挽救生命应考虑剖腹探查。

四、急性腹痛的急救处理

(1) 有恶心、呕吐时暂时禁食。腹痛剧烈应禁食。

(2) 禁止使用止疼药物。

(3) 伴有头晕,面色改变时,应该立即平躺。

(4) 尽快到医院诊疗,尤其上腹部疼痛,切忌不可耽误。

本案例为急性胰腺炎,与饮酒有关,需要高度重视。患有此病的人,不宜饮酒。患有胆囊炎、胆结石应及早治疗,否则易发生胰腺炎。

(李　政)

第18讲 烧烫伤的急救

【案例介绍】 某4岁幼儿园学童，中午和家人一起吃饭时，患儿将一盆热汤弄翻，泼到胸前及腹部，局部即刻出现皮肤剥脱，有的呈现散在的水疱，立即送医院诊疗，诊断胸、腹部烫伤，住院治疗。

烧伤为热力致伤，除火外，还有液体、气体、化学、物理等多种热力，一旦接触即急性皮肤损伤。在众多原因所致的烧伤中，主要是因热水、热汤、热油、热粥、炉火、电熨斗、蒸汽、爆竹、强碱、强酸等造成，占85%～90%，所以在日常生活中应高度警惕。

热力、电、化学物质、放射线等造成的烧伤，其严重程度都与接触面积与接触时间密切相关，因此现场急救的原则是迅速移除致伤原因，脱离现场，同时给予必要的急救处理。在处理任何烧烫伤时，家人都应先冷静下来，做各种正确的紧急处理，才能尽可能地降低烧烫伤对皮肤造成的伤害。伤口范围占整体面积的10%～20%时，都有入院治疗的必要。在紧急处理的同时要安慰患者，以减少其恐慌。

1. 烧烫伤的一般处理

① 冲：以流动的自来水冲洗或浸泡在冷水中，直到局部冷却并减轻疼痛，或者用冷毛巾敷在伤处至少10分钟。不可把冰块直接放在伤口上，以免使皮肤组织受伤。如果现场没有水，可用

其他任何凉的无害的液体冲洗，如牛奶或罐装饮料。

② 脱：在穿着衣服被热水、热汤烫伤时，千万不要先脱下衣服，而是应先直接用冷水浇在衣服上降温，充分泡湿伤口后再小心除去衣物。如衣服和皮肤粘在一起时，切勿撕拉，只能将未粘连部分剪去，粘连的部分留在皮肤上以后处理，再用清洁纱布覆盖创面，以防污染。有水疱时千万不要弄破。

③ 泡：将伤处继续浸泡于冷水中至少30分钟，可减轻疼痛。但烧伤面积大或年龄较小的患者，不要浸泡太久，以免体温下降过度造成休克，而延误治疗时机。当患者意识不清或叫不醒时，就该停止浸泡赶快送医院。

④ 盖：如有无菌纱布可轻覆在伤口上。如没有，让小面积伤口暴露于空气中，大面积伤口用干净的床单、布单或纱布覆盖。不要弄破水疱。

⑤ 送：最好到设置有整形外科的医院求诊。

对严重烧烫伤患者，在进行上述步骤时，用凉水冲的时间要长一些，至少10分钟以上。第一时间拨打“120”急救电话，在急救车到来之前，检查患者的呼吸道、呼吸情况和脉搏，做好心肺复苏的急救准备，如监测呼吸次数和脉搏。

2. 口腔和咽喉烧伤的处理

① 面部、口腔和咽喉的烧烫伤是非常危险的，因为可能使呼吸道迅速肿胀和发炎，肿块可迅速阻塞呼吸道而导致呼吸困难，因此需要迅速就医。

② 可以采取一些措施改善伤员的呼吸情况，如解开衣领等。

③ 如果伤员意识模糊，要随时做好心肺复苏急救准备。

3. 化学药品烧伤的处理

干石灰烧伤应先去除石灰粉粒，再用大量流动水冲洗10分钟以上，尤其是眼内烧伤更应彻底冲洗，严禁用手或手帕等揉。切忌立即将烧伤部位用水浸泡，以免石灰遇水产生大量热量而加重烧伤。

弱酸弱碱烧伤，应立即用大量流动清水彻底冲洗伤口；强酸强碱烧伤，应用清洁的干布迅速将酸、碱蘸干后，再用流动的清水彻底冲洗受伤部位。

需要注意的是，不可挑破水疱或在伤处吹气，以免污染伤处；不可在伤处涂抹麻油、牙膏和酱油等，这样做并不科学，反而增加烧烫伤处感染的机会。

4．预防措施

大力进行宣传教育，使每个家庭成员掌握基本的烧烫伤防护知识，能够进行自救和互救。

① 有幼儿的家庭，厨房和餐厅尽量分隔开。烹调时，不要让幼儿在厨房玩耍。家里的热水瓶不要放在幼儿可能拿到的地方，以防被不慎碰翻而导致烫伤。餐桌上最好不要铺桌布，以免幼儿好奇拉扯，热的菜、汤等被拉下导致烫伤。

② 刚从火上端下来的热锅、开水壶等要放在安全的地方。

③ 当煮火锅、泡咖啡或泡茶时，注意不要绊到电线而弄翻茶壶、热锅或热水瓶等。

④ 进食时饭菜温度要适宜。

⑤ 不要用空饮料瓶装危险溶液，以免家人误食。家中最好不要放强酸、强碱等危险物品。

⑥ 家中使用的电熨斗、电炉、电取暖器等电器设备应放在儿童接触不到的地方。

⑦ 洗澡时，应该先放冷水后再兑热水，以防烫伤。水温约38～40 ℃，以热而不烫为宜。

⑧ 蚊帐中不点蚊香；如果家中的暖气片没有包，应用毛巾盖好，或者用家具挡好；如果家中有火炉，要用挡板隔开。

本案例系警惕不够而致患儿烫伤，住院两个月，经过抗感染、植皮、换药等治愈，但留下瘢痕。

（臧　宏　张利远）